LES GRANDS
MYSTÈRES
du monde

Cynthia Cloutier Marenger

Les grands mystères du monde

Cynthia Cloutier Marenger

© 2015 Les Éditions Caractère Inc.

Révision linguistique : Catherine Vaudry
Correction d'épreuves : Mariane Landriau
Conception graphique et infographie : Bruno Paradis
Conception de la couverture : Bruno Paradis

Sources iconographiques

p. 35 mountainpix / Shutterstock.com ; **p. 44-45** Jeangagnon ; **p. 59** Abdullah frères ; **p. 60** Cecil W. Stoughton ; **p .63** Renata Sedmakova / Shutterstock.com ; Toutes les autres photographies : shutterstock.com

CAR ACT ERE

5800, rue Saint-Denis, bureau 900
Montréal (Québec) H2S 3L5 Canada
Téléphone : 514 273-1066
Télécopieur : 514 276-0324 ou 1 800 814-0324
caractere@tc.tc

ISBN 978-2-89742-108-3

Dépôt légal : 2e trimestre 2015
Bibliothèque et Archives nationales du Québec
Bibliothèque et Archives Canada

Imprimé en Chine

1   2   3   4   5   SUN   19   18   17   16   15

Nous reconnaissons l'aide financière du gouvernement du Canada par l'entremise du Fonds du livre du Canada (FLC) pour nos activités d'édition.

Gouvernement du Québec – Programme de crédit d'impôt pour l'édition de livres – Gestion SODEC.

TABLE DES MATIÈRES

L'Atlantide

UNE ÎLE PARADISIAQUE

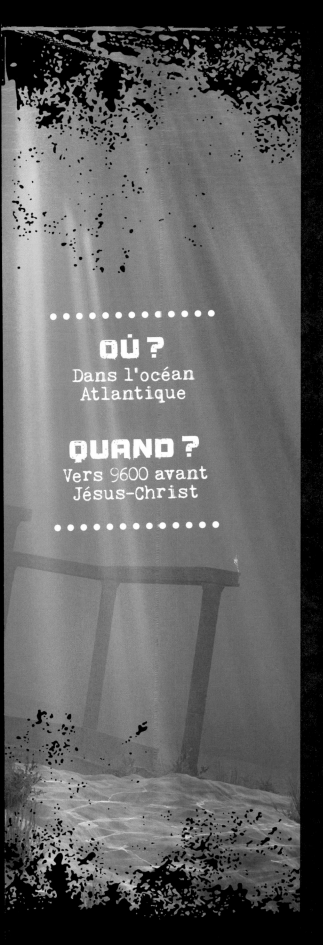

OÙ ?
Dans l'océan
Atlantique

QUAND ?
Vers 9600 avant
Jésus-Christ

La légende de l'Atlantide fascine les humains depuis des siècles. On la doit au **philosophe** grec Platon (428-348 avant Jésus-Christ), qui en parle dans deux de ses récits, le *Timée* et le *Critias*. Il y raconte l'histoire d'un peuple très puissant, les Atlantes, qui aurait vécu vers 9600 avant Jésus-Christ. Leur île, l'Atlantide, aurait été si riche qu'elle aurait représenté un véritable paradis.

Selon les récits de Platon, l'Atlantide aurait été parcourue de plaines et de collines fertiles recouvertes d'une abondante végétation. Les Atlantes s'y seraient promenés à dos d'éléphant, se délectant de noix de coco et se baignant dans ses sources d'eau chaude. On y aurait retrouvé bon nombre de métaux précieux comme l'or et l'argent, mais aussi l'orichalque, un métal mythique de grande valeur.

L'île principale, circulaire, aurait été entourée de multiples fossés et bandes de terre. Ensemble, ils auraient formé un immense continent, plus grand que le nord de l'Afrique et la Turquie réunis. Ce continent se serait trouvé dans l'océan Atlantique, à l'ouest du **détroit de Gibraltar**, autrefois nommé les Colonnes d'Hercule.

UN CONTINENT ENGLOUTI

Les Atlantes auraient été un peuple raffiné, civilisé et d'une grande intelligence technique. Ingénieux architectes et habiles navigateurs, ils auraient construit de remarquables bâtiments, dont un port artificiel accueillant leurs embarcations. Leur armée, la plus puissante du monde, aurait été formée de 20 000 cavaliers, 240 000 marins et 800 000 soldats.

Pendant des millénaires, les Atlantes auraient vécu en paix avec leurs voisins, se contentant de commercer avec eux. Cependant, au fil du temps et à force de vivre dans le luxe et la facilité,

ils se seraient corrompus. Leur désir de puissance et de richesse les aurait ainsi amenés à vouloir conquérir de nouveaux territoires. Ils auraient alors lancé leur armée sur l'Europe et l'Afrique.

Devant cette avidité et cet orgueil, les dieux auraient décidé de punir les Atlantes. Pendant un jour et une nuit, ils auraient provoqué de violentes éruptions volcaniques, de tumultueux tremblements de terre et de gigantesques tsunamis. Au lendemain de cette journée terrible, il ne serait plus rien resté de l'Atlantide, qui aurait été engloutie par l'océan.

VÉRITÉ OU FICTION ?

Au cours des siècles, de nombreuses recherches ont été menées pour retrouver ce continent disparu : en vain. L'Atlantide a-t-elle existé ou Platon l'a-t-il inventée ? La plupart des chercheurs et des historiens s'accordent aujourd'hui pour dire qu'il s'agit d'une légende. Le philosophe l'aurait imaginée pour prévenir les Grecs des conséquences d'un excès d'orgueil et d'avidité.

D'autres pensent toutefois que Platon s'est inspiré de faits réels pour créer l'Atlantide. Son origine serait l'éruption volcanique survenue environ 1600 ans avant Jésus-Christ et qui a détruit l'île de Santorin, au sud de la Grèce, et la **civilisation minoenne**. Pourtant, même si cette civilisation a des points communs avec les Atlantes, de nombreux détails ne concordent pas, dont la localisation : en effet, l'Atlantide serait engloutie au fond de l'océan Atlantique, pas de la mer Méditerranée !

Quant aux théories qui associent le continent mythique à la Suède ou à l'Irlande, à Cuba ou aux Bahamas, elles ne sont fondées sur aucune preuve. Alors, vérité ou fiction, l'Atlantide ? Impossible de le déterminer avec certitude. Le plus logique serait néanmoins de croire que Platon a bel et bien inventé ce continent fabuleux de toutes pièces...

Les cités d'or

DES ÉVÊQUES EN FUITE

L'existence des cités d'or est un mythe tenace dont l'origine remonte au 8e siècle. Il prend naissance dans l'invasion de la ville espagnole de Mérida, en 713, qui tombe alors aux mains des **Maures** et de leur chef, Moussa Ibn Nosaïr. Pour sauver leur vie et préserver leurs objets sacrés, l'**archevêque** de la ville et ses six **évêques** s'enfuient avec leurs fidèles.

· · · · · · · · · · · · · · · · ·

OÙ ?
En un lieu inconnu

QUAND ?
Du 8e siècle à aujourd'hui

· · · · · · · · · · · · · · · · ·

La légende raconte qu'une fois exilés en un lieu lointain et inconnu, ils auraient fondé deux villes : Cíbola et Quivira. Ces villes auraient été des exemples non seulement de bonne entente et de paix, mais aussi de prospérité. Leurs habitants ayant découvert de l'or et des pierres précieuses, ces cités auraient été immensément riches. Ainsi, pendant des siècles, des expéditions sont lancées, dans l'espoir de retracer ces villes fabuleuses.

Avec la découverte de l'Amérique, en 1492, on commence à croire que, lors de leur fuite de Mérida, les évêques se seraient embarqués sur des navires et auraient traversé l'Atlantique. La légende de Cíbola et Quivira prend de l'ampleur :

encouragée par les récits des explorateurs, l'imagination populaire les dépeint alors comme entièrement construites d'or, d'où leur nom de « cités d'or ».

À LA RECHERCHE DES CITÉS D'OR

Alléchés à l'idée de s'emparer de richesses infinies, divers monarques financent de nouvelles expéditions en Amérique. Celle du **conquistador** Pánfilo de Narváez, en particulier, alimente le mythe des cités d'or. L'esclave Esteban, qui y a participé, rapporte en effet ce que lui ont raconté des Amérindiens : des cités immensément riches se trouveraient au nord de l'actuel Mexique.

Prenant connaissance de ces récits, le vice-roi espagnol Antonio de Mendoza organise une première expédition vers les cités d'or, en 1539. Pendant celle-ci, Esteban rencontre un **moine** qui lui confirme l'existence de villes majestueuses au nord. L'esclave meurt cependant avant de s'y rendre. Qu'à cela ne tienne, le meneur de l'expédition, Marcos de Niza, affirme tout de même les avoir vues.

Sur la foi de ce témoignage, le vice-roi organise donc une deuxième expédition, en 1540. Sous le commandement de Francisco Vásquez de Coronado, un autre conquistador, 200 soldats et 150 cavaliers sont mandatés pour s'emparer des richesses décrites par Marcos de Niza. Toutefois, à leur arrivée dans l'actuel Arizona, ils découvrent que les propos de Niza n'étaient que mensonges...

SEULEMENT UNE ILLUSION ?

Les cités d'or, ou du moins de riches villes amérindiennes, ont-elles existé ? Ou s'agit-il d'un mythe depuis le début ? Après sa déconvenue en Arizona, Coronado poursuit ses recherches pendant deux ans. Il découvre de nombreux villages, mais tous sont des plus pauvres. Pas la moindre trace d'or. Les histoires des Amérindiens et du moine rencontré par Esteban étaient-elles toutes fausses ?

Une illusion pourrait être à la base de la croyance en des villes dorées. En effet, l'un des villages visités par Coronado dans le Grand Canyon est formé de maisons d'argile à laquelle sont mêlés de la paille et du mica, un minéral brillant. De loin, sous les rayons du soleil, les habitations pouvaient sembler scintiller comme de l'or.

Ainsi, il est vraisemblable de conclure que les cités d'or n'ont jamais été autre chose qu'une légende. La convoitise humaine l'aurait entretenue depuis le 8e siècle, malgré l'absence de preuves tangibles de leur existence. Le désir de croire et la cupidité auraient été plus forts que tout, entretenant cette illusion et poussant même parfois au mensonge.

Le triangle

des Bermudes

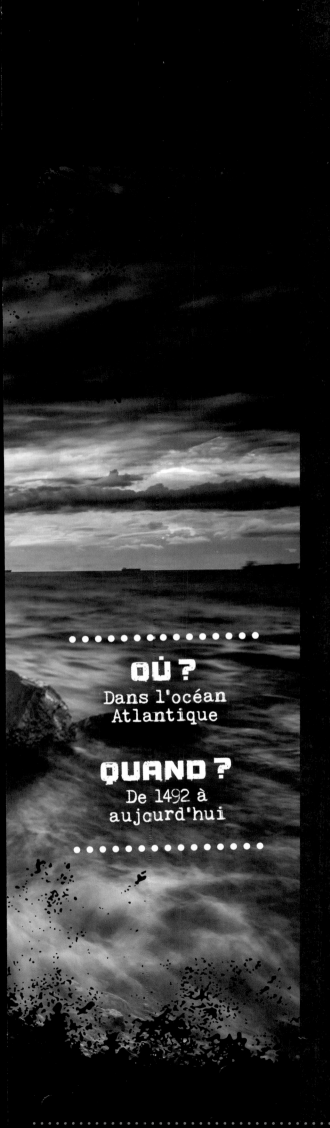

OÙ ?
Dans l'océan
Atlantique

QUAND ?
De 1492 à
aujourd'hui

DE TROUBLANTS PHÉNOMÈNES

Le triangle des Bermudes est une zone légendaire de l'océan Atlantique qui formerait un triangle de 500 000 à 1 500 000 kilomètres carrés entre la Floride, les Bermudes et Porto Rico. Depuis de nombreux siècles, il serait le théâtre de phénomènes inexpliqués, et particulièrement de dizaines de disparitions de navires et d'avions.

Le premier à avoir rapporté certains de ces phénomènes est nul autre que **Christophe Colomb**. Lors de son premier voyage dans l'Atlantique, en 1492, l'explorateur les mentionne dans son journal de bord. Le 14 octobre, il prétend avoir aperçu d'étranges lueurs et une traînée de feu dans le ciel. La mer aurait été d'une couleur inhabituelle, et ses compas de navigation se seraient déréglés.

Par la suite, quantité de navires seront perdus en mer dans cette zone de l'Atlantique. L'un des plus célèbres est l'*USS Cyclops*, un charbonnier de la marine américaine, avec 306 membres d'équipage à son bord. En 1918, il disparaît sans lancer de signal de S.O.S. ni laisser de trace. Son épave n'a en effet jamais été retrouvée.

LE TRIANGLE DE LA MORT

Malgré son long historique, ce n'est qu'en 1964 que le triangle des Bermudes reçoit son nom actuel. C'est Vincent Gaddis, un journaliste américain s'intéressant aux événements inexpliqués, qui le lui donne en nommant l'un de ses articles « *The Deadly Bermuda Triangle* », en français « Le triangle mortel des Bermudes ».

Vincent Gaddis revient sur la disparition ayant popularisé cette zone de l'océan Atlantique : celle du vol 19, survenue le 5 décembre 1945. Ce jour-là, quatorze aviateurs pilotant cinq avions torpilleurs de l'armée américaine, des Grumman TBM Avenger, quittent leur base de Floride pour effectuer des exercices d'entraînement au-dessus de la mer. Ils ne reviendront jamais.

Comble de malheur, l'un des hydravions envoyés à leur secours, un Martin Mariner, subit le même sort ; ses treize membres d'équipage sont eux aussi laissés pour morts. Malgré les recherches menées dans les heures et les jours suivants, ni épaves, ni débris, ni corps ne seront retrouvés. La « malédiction » du triangle des Bermudes était née.

UNE VÉRITABLE ZONE MALÉFIQUE ?

Plusieurs hypothèses des plus farfelues ont été émises pour expliquer les événements rattachés au triangle des Bermudes au fil des siècles : **vortex spatiotemporel**, enlèvement par des extraterrestres, force d'attraction du continent englouti de l'Atlantide[1] – pourtant supposément situé beaucoup plus au nord !

Les explications concernant ces disparitions de navires et d'avions seraient pourtant platement terre à terre : tempêtes, **vagues scélérates**, **trombes marines**, **flatulences océaniques**, défaillances matérielles, erreurs humaines... Par exemple, l'*USS Cyclops* aurait sombré au cours d'une tempête en raison d'un défaut de conception : le navire était tout simplement trop long.

Dans le cas du vol 19, selon la marine américaine, c'est une erreur de pilotage qui serait en cause. En effet, le lieutenant Charles Taylor aurait dirigé son escadrille vers le large plutôt que vers le continent. Les avions auraient ainsi fini par manquer de carburant et s'abîmer en mer.

Alors, véritable zone maléfique, le triangle des Bermudes ? En toute logique, il semblerait bien que non. D'ailleurs, son existence même serait aujourd'hui remise en question : effectivement, la garde côtière américaine affirme que, compte tenu de son important trafic maritime, cet endroit de l'Atlantique n'est pas plus mortel que d'autres.

---

1. *Voir p. 4-5.*

Stonehenge

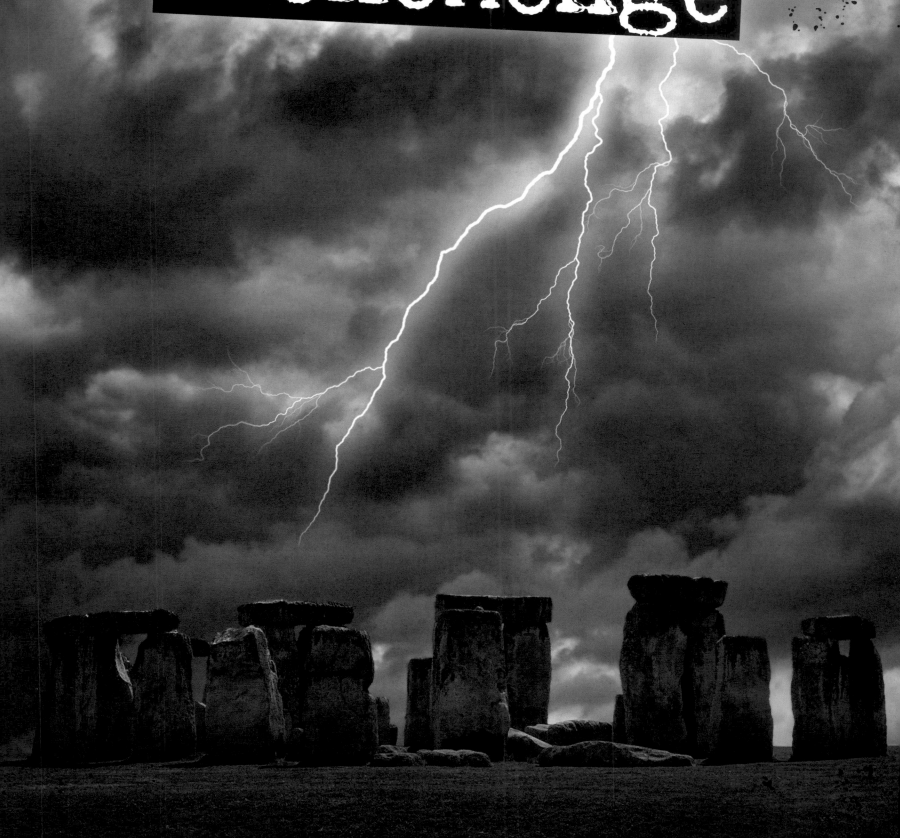

DES PIERRES SUSPENDUES

Dans le sud de l'Angleterre, près de la petite ville d'Amesbury, se trouve l'un des plus vieux et des plus énigmatiques monuments de l'humanité : Stonehenge. Composé de cercles de pierres gigantesques érigées vers le ciel – son nom signifie d'ailleurs « les pierres suspendues » –, il aurait été construit en trois phases, du **néolithique** à l'**âge du bronze**.

OÙ ?
En Angleterre

QUAND ?
D'environ 2800 à 1100 avant Jésus-Christ

La première phase aurait duré d'environ 2800 à 2100 avant Jésus-Christ. Elle a servi à creuser un large fossé circulaire entouré d'un talus de terre d'environ 90 mètres de diamètre. À l'intérieur du talus, 56 trous ont été formés à intervalles réguliers, les « trous d'Aubrey ». Une pierre rappelant un talon, la « *Heel Stone* », aurait été placée à l'extérieur du cercle.

Lors de la deuxième phase, d'environ 2100 à 2000 avant Jésus-Christ, un premier double cercle de « pierres bleues » a été formé à l'intérieur du site, mais démantelé par la suite ; les pierres bleues ont été redisposées au cours de la troisième phase. Ces roches bleu-vert, très lourdes – environ 4 tonnes chacune –, ont été transportées du pays de Galles, à approximativement 250 kilomètres de Stonehenge !

La troisième phase, d'environ 2000 à 1100 avant Jésus-Christ, a vu apparaître le cercle que l'on connaît aujourd'hui. À l'origine, il était complet et formé de 75 **monolithes** de sarsen, une sorte de roche. Ces blocs pesant jusqu'à 50 tonnes chacun ont été sculptés dans une carrière située à 40 kilomètres du site, puis transportés jusque-là.

DES POUVOIRS SURHUMAINS ?

Parmi les mystères que représente Stonehenge, le transport et l'érection ses pierres ont engendré bien des recherches, tout comme sa fonction. Au cours des dernières années, des hypothèses se sont confirmées quant aux deux premiers. Le rôle du site, par contre, reste encore nébuleux. Pourquoi des humains se sont-ils donné tant de mal, siècle après siècle, pour déplacer et disposer ces pierres ?

Mais se sont-ils réellement donné tant de mal ? Oui et non. À première vue, transporter et ériger des pierres aussi lourdes semble impossible pour le contexte de l'époque. Après tout, la mécanique n'existait pas, ni même la roue. Les humains d'alors ne manquaient pourtant pas d'ingéniosité.

Des restes retrouvés près du site montrent en effet qu'ils créaient des cordes à partir de fibres de bois. Ils arrivaient aussi à fabriquer des embarcations et des traîneaux. Les pierres bleues auraient ainsi été transportées sur l'eau, puis traînées jusqu'à Stonehenge. Les monolithes de sarsen, eux, auraient été traînés, puis mis debout avec un système de cordes.

QUEL RÔLE ?

Reste la question du pourquoi. Pendant longtemps, Stonehenge a été étudié selon ses particularités astronomiques. Par exemple, au solstice d'été, autour du 21 juin, les rayons du soleil levant touchent la *Heel Stone* et arrivent au centre des cercles. Certains y ont vu le signe que le monument est un immense observatoire des astres. Cette théorie est difficile à rejeter ou à prouver hors de tout doute.

Une autre hypothèse ferait de Stonehenge un lieu de **sépulture**. Des restes humains retrouvés sur le site le prouveraient, notamment ceux dans les trous d'Aubrey et le squelette de l'archer d'Amesbury, un homme enterré avec de nombreux objets funéraires. Cette théorie semble la plus plausible. Toutefois, un mystère demeure : pourquoi avoir choisi *ce* site comme sépulture ?

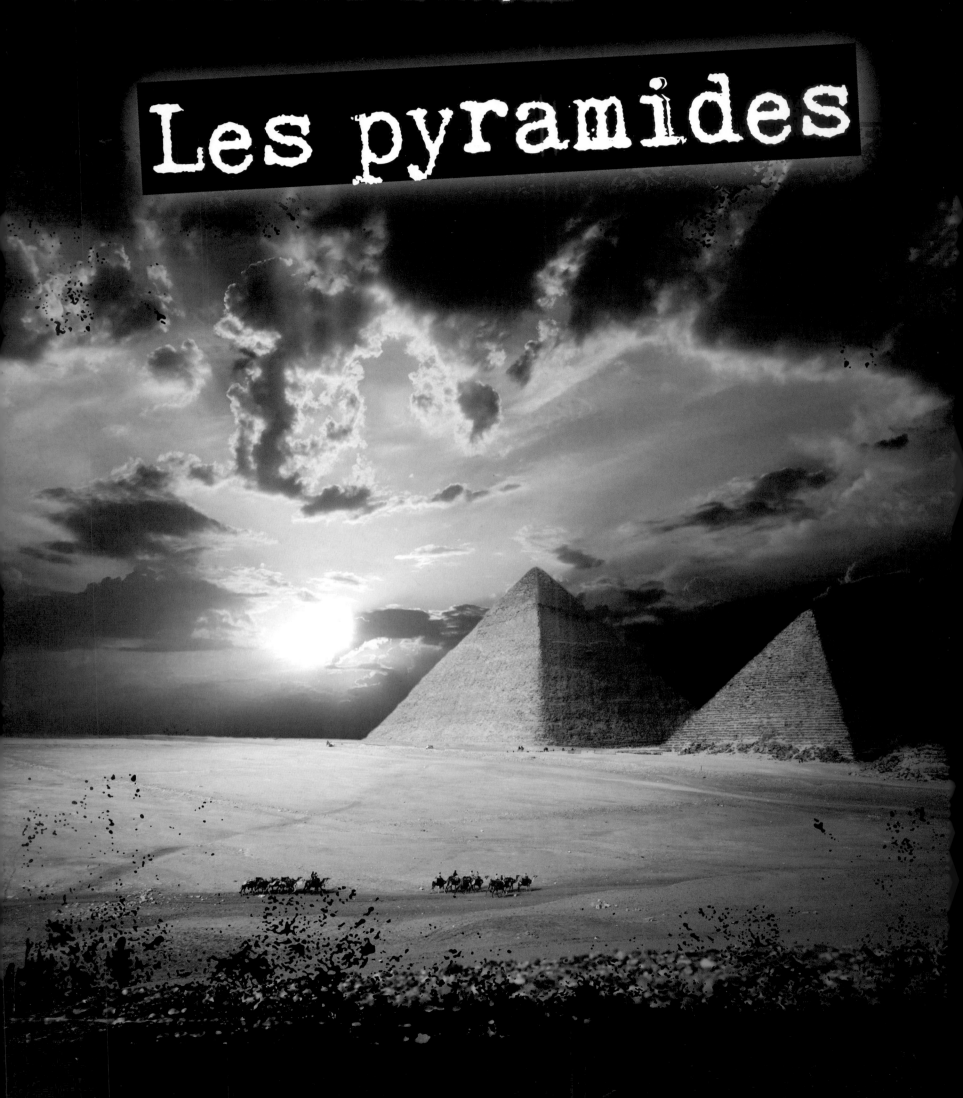

LES MONUMENTS ÉNIGMATIQUES :

Les pyramides

DES MONUMENTS FASCINANTS

Les pyramides d'Égypte font partie des monuments les plus fascinants de la Terre. Construites il y a près de 5 000 ans, elles sont les témoins majestueux de la puissance de l'Ancien Empire égyptien. Leur pouvoir d'attraction attire chaque année des millions de visiteurs, éblouis par leur taille imposante et leur architecture particulière, et intrigués par leur construction et leur fonction.

Bien qu'il existe toujours une centaine de pyramides en Égypte, la plus célèbre reste incontestablement la pyramide de Khéops, aussi appelée « la grande pyramide de Gizeh ». Érigée vers 2600 avant Jésus-Christ, sous le règne du pharaon Khéops, l'un des souverains les plus puissants de l'Ancien Empire, c'est la seule des sept merveilles du monde à avoir traversé le temps.

• • • • • • • • • • • • • • • •

OÙ ?
En Égypte

QUAND ?
D'environ 2700 à 1600 avant Jésus-Christ

• • • • • • • • • • • • • • • •

Pendant des millénaires, la pyramide de Khéops a été le monument le plus haut et le plus massif de la planète. Encore aujourd'hui, avec ses 137 mètres de haut, sa base carrée de 230 mètres de côté et ses 2 millions de blocs de pierre de 2,5 tonnes chacun, elle est la plus imposante de ses semblables. Chef-d'œuvre architectural, elle ne cesse de susciter la curiosité des chercheurs, qui ne savent pas avec certitude comment elle a été bâtie ni à quelles fins.

UNE CONSTRUCTION ÉTONNANTE

Au fil des ans, plusieurs explications ont été avancées pour résoudre le mystère de l'érection des pyramides, et précisément de la pyramide de Khéops. Comment les Égyptiens d'alors, dépourvus de machinerie, ont-ils réussi à déplacer ses blocs gigantesques, qui proviennent de carrières éloignées ? Comment sont-ils parvenus à orienter ses faces vers les quatre points cardinaux ?

La méconnaissance de la civilisation égyptienne antique a amené des réponses souvent insolites à ces questions, entre autres l'intervention de pouvoirs extraterrestres. Les recherches ont cependant permis de mettre au jour une réalité toute simple : les anciens Égyptiens possédaient un savoir scientifique et technique extrêmement développé, à la base de leurs exploits.

Ainsi, ils savaient déterminer où se trouvent le nord, le sud, l'est et l'ouest. L'édification de nombreuses pyramides avant celle de Khéops leur avait permis de raffiner leurs techniques de transport et de construction. Mais surtout, le pouvoir et la richesse des pharaons rendaient possible l'embauche d'une main-d'œuvre abondante pendant des années. On estime par exemple que 20 000 hommes ont été requis pendant 20 ans pour la grande pyramide de Gizeh !

DE GIGANTESQUES TOMBEAUX ?

Comme pour leur construction, la fonction des pyramides, notamment celle de Khéops, a donné lieu à de multiples hypothèses : observatoire astronomique, cadran solaire, œuvre de vanité, monument funéraire, tombeau des pharaons... La dernière de ces hypothèses, la plus souvent retenue, se heurte pourtant à une contradiction de taille : aucun corps de pharaon n'a jamais été trouvé dans aucune pyramide !

À quoi servaient donc les pyramides ? Bien qu'aucune réponse ne soit définitive, la plupart des chercheurs s'entendent sur leur nature de monument religieux. La forme de la pyramide suggère une ascension vers le ciel, ce qui, selon la mythologie égyptienne, aurait permis au pharaon de monter prendre sa place auprès du dieu du soleil, Rê. Les pyramides auraient ainsi pu servir de mémorial et non de tombeau.

Encore une fois, cependant, cette explication reste une supposition, les anciens Égyptiens ayant laissé peu de documents attestant de leurs pratiques. Peut-être qu'un jour, à force de recherches, la méthode de construction et la fonction des pyramides seront découvertes sans doute possible. Mais pour le moment, leur caractère mystérieux demeure.

Le sphinx

UNE SCULPTURE ÉNIGMATIQUE

À l'instar des pyramides d'Égypte, le sphinx de Gizeh est l'un des monuments les plus fascinants de la planète. Chaque année, des millions de touristes se déplacent pour contempler ce gigantesque être fantastique, mi-lion (corps et pattes), mi-humain (tête). Plus grande statue du monde, il mesure 73 mètres de long, atteint 20 mètres de hauteur et fait jusqu'à 14 mètres de largeur.

Le corps et la tête du sphinx, en calcaire, ont été sculptés à même le roc du plateau de Gizeh. Selon les estimations de certains **archéologues**, ce travail aurait pris environ un million d'heures ! Ses pattes avant, quant à elles, ont été forgées en **maçonnerie**. À une certaine époque, la sculpture aurait été recouverte de plâtre peint : en rouge pour le visage et le corps, et en bleu et jaune pour le **némès**.

Son aspect symboliserait l'union d'un **pharaon** et du dieu du Soleil, Rê, le lion y étant associé dans la **mythologie** égyptienne. Pourtant, si les chercheurs s'entendent généralement sur ce point, plusieurs questions demeurent quand même à son sujet : quand le sphinx a-t-il été sculpté ? Qui son visage représente-t-il ? Et à quoi sert-il ? Bref, comme pour le sphinx auquel Œdipe doit faire face, celui de Gizeh pose une véritable énigme.

KHÉPHREN, KHÉOPS OU DJÉDEFRÊ ?

La plupart des archéologues croient que le sphinx aurait été réalisé aux alentours de 2500 avant Jésus-Christ. Comme cette date correspond au règne du pharaon Khéphren, il a été tenu pour acquis pendant longtemps que son visage portait les traits de ce souverain. Cette thèse est cependant remise en question depuis quelques années par le spécialiste de l'Égypte Rainer Stadelmann.

Selon cet égyptologue, la sculpture représenterait plutôt Khéops, le père de Khéphren. D'après lui, le némès du sphinx et son absence de barbe le rapprochent des représentations du règne de Khéops. Son emplacement serait aussi révélateur : le monument se trouve en effet dans une des carrières d'où on tirait les blocs de pierre servant à construire la pyramide de Khéops.

Un autre égyptologue, Vassil Dobrev, pense pour sa part que le sphinx serait plutôt l'œuvre de Djédefrê… le fils de Khéops et le frère de Khéphren ! Djédefrê aurait régné entre ces deux derniers pharaons. Selon Dobrev, il aurait fait ériger le sphinx à la gloire de son père, en lui donnant ses traits. L'hypothèse que Djédefrê n'ait que retouché la tête de la sculpture est également envisagée.

UN LION OU UN CHIEN ?

Pour ajouter à la confusion, une théorie émise en 2009 propose que le sphinx ait déjà été une représentation d'Anubis, un dieu funéraire de l'ancienne Égypte. Il aurait donc plutôt eu l'aspect d'un chien avant d'être transformé en lion à tête d'homme. La forme du corps, au dos très plat, et la petitesse de la tête seraient des arguments en faveur de cette théorie.

Khéphren, Khéops, Anubis, Rê… Selon le personnage qu'il serait censé représenter, le sphinx jouerait différentes fonctions : monument à la gloire d'un pharaon, **mémorial**, gardien funéraire, symbole de puissance par l'union avec le Soleil. Malgré le mystère, une chose est sûre : à travers le temps, la sculpture a été retouchée à maintes reprises. Et si son origine et son rôle étaient tout simplement multiples ?

· · · · · · · · · · · · · · ·

OÙ ?
En Égypte

QUAND ?
Vers 2500 avant Jésus-Christ

· · · · · · · · · · · · · · ·

Les statues de

l'île de Pâques

UNE ÎLE SURPRENANTE

L'île de Pâques, appelée Rapa Nui par ses habitants, possède la réputation d'être l'île la plus isolée du monde. Située dans le sud-est de l'océan Pacifique, elle se trouve à 3 680 kilomètres des côtes du Chili, et l'île la plus « proche » d'elle en est distante de plus de 2 000 kilomètres ! Elle a été découverte en 1722 par l'explorateur Jakob Roggeveen, qui y a débarqué le dimanche de Pâques, d'où son nom.

À leur arrivée sur l'île, les premiers Européens ont de multiples surprises. Rapa Nui étant très isolée, relativement petite et pourvue de peu de ressources naturelles, ils sont d'abord étonnés de constater qu'elle est habitée. Les questions fusent : d'où viennent les **Pascuans** ? Comment ont-ils atterri là ? Et comment font-ils pour y survivre ?

• • • • • • • • • • • • • • •

OÙ ?
Sur l'île de Pâques

QUAND ?
D'environ 1000 à 1700

• • • • • • • • • • • • • • •

Autre surprise de taille : l'île est parsemée de centaines d'immenses statues de pierre **humanoïdes**, les *moais*. Hautes de 2,5 à 9 mètres, elles pèsent en moyenne 14 tonnes chacune, mais les plus grosses vont jusqu'à 80 tonnes ! Encore une fois, les interrogations se bousculent : comment ces statues ont-elles été sculptées ? Qui représentent-elles ? Et comment ont-elles été déplacées à travers l'île ?

SUD-AMÉRICAINS OU POLYNÉSIENS ?

On a longtemps vu l'origine des Pascuans comme un mystère. Certains ont avancé qu'ils venaient de l'Amérique du Sud ; d'autres, d'îles de la **Polynésie**. Des analyses de leur ADN et de leur langue font toutefois pencher pour la seconde hypothèse. D'ailleurs, lors de l'escale sur l'île du navire de James Cook, au 18e siècle, un membre d'équipage polynésien avait parlé aux Pascuans dans leur langue.

Selon les théories les plus vraisemblables, l'île de Pâques aurait donc été colonisée par des Polynésiens. Excellents navigateurs, ils l'auraient atteinte à bord de larges pirogues adaptées aux conditions océaniques. On estime qu'ils s'y seraient installés entre 400 et 800. À cette époque, selon les fragments de pollen retrouvés au fond des lacs, le territoire était recouvert de forêts.

UN CULTE DES ANCÊTRES

Les recherches faites sur l'île ont aussi permis d'y découvrir près de 900 *moais* ! De ce nombre, environ la moitié est alignée sur des *ahus*, des plateformes de pierre, et la majorité regarde vers l'intérieur des terres. Leur apparence et leur disposition laissent supposer que les *moais* sont une représentation des ancêtres rapanuis, érigés pour protéger les habitants, à l'instar de dieux.

L'autre moitié des statues a été retrouvée dans une carrière de l'est de Rapa Nui, tout près du volcan Rano Raraku. Les *moais* y étaient sculptés dans le tuf, la roche produite par les débris volcaniques. Ce n'est qu'une fois terminés qu'on les déplaçait à travers l'île, pour ensuite les élever sur les *ahus*. Mais comment des hommes sans machinerie ont-ils réussi à transporter de tels colosses de pierre ?

La réponse à cette question est longtemps demeurée un mystère. La clé résiderait pourtant dans les anciennes forêts de l'île... En effet, des fouilles et des reconstitutions laissent penser que les Pascuans transportaient les *moais* sur des sortes de traîneaux qu'ils tiraient avec des cordes. Ceux-ci auraient été fabriqués à partir des arbres et de leurs racines.

Une des causes de la disparition des forêts sur l'île de Pâques serait d'ailleurs la fabrication des *moais* ; de plus en plus grands et gros, ils nécessitaient toujours plus d'arbres pour leur transport. Censées protéger les Pascuans, les statues auraient donc finalement été à l'origine d'une famine qui les aurait menés à leur perte...

Le yéti

YÉTI ET COMPAGNIE

L e yéti, aussi appelé « l'abominable homme des neiges », est une créature fantastique de la région de l'**Himalaya**, particulièrement du Tibet, du Népal et de l'Inde. Mi-humain, mi-animal, il ressemblerait à un grand singe **bipède** d'environ deux mètres, aux longs bras et au crâne pointu. Très poilu, il parviendrait à survivre aux conditions hivernales les plus difficiles.

Propre à l'Himalaya, le yéti possèderait de multiples « parents » dans le monde : l'*almasty*, ou *kaptar*, vivrait dans le Caucase, une région montagneuse séparant l'Asie et l'Europe ; le *mande barung* aurait été aperçu au Bangladesh ; et le *yowie* occuperait l'Australie. On retrouverait aussi un homme-singe en Amérique du Nord : aux États-Unis, on le nomme « *bigfoot* » et, au Canada, « *sasquatch* », selon un terme amérindien.

OÙ ?
Dans les montagnes de l'Himalaya

QUAND ?
À partir du 4ᵉ siècle avant Jésus-Christ

Dans tous les cas, de nombreux témoins affirment avoir aperçu ces êtres mystérieux aux caractéristiques semblables. Des photos ou des moulages de leurs empreintes, gigantesques, ont été soumis comme preuves de leur existence. Des photos ou vidéos de la bête ont même parfois été captées. Canular ? Pour les scientifiques, il est clair que les yétis et compagnie sont imaginaires.

UNE CRÉATURE ANCIENNE

La légende du yéti remonte à très loin dans l'histoire. Dès le 4ᵉ siècle avant Jésus-Christ, des textes poétiques asiatiques font mention de l'existence d'hommes sauvages. Plus tard, lors de leur arrivée en Amérique, les premiers Européens prennent connaissance de légendes amérindiennes évoquant des populations de géants cachés au cœur des forêts.

La première référence « moderne » au yéti en tant que tel est due à B.H. Hodgson, un administrateur de l'**Empire britannique** en poste au Népal. En 1832, il note dans un rapport que des chasseurs népalais auraient été effrayés par un homme sauvage : celui-ci, sans queue, aurait marché debout et aurait été couvert de poils. Hodgson n'y voit cependant là que des **superstitions**.

En 1951, des photos prises par l'alpiniste britannique Eric Shipton popularisent la légende en Occident. On y voit des empreintes immenses laissées dans la neige de l'Everest. Appartiennent-elles véritablement à un homme-singe ou sont-elles celles d'un animal ? Ou encore, sont-elles truquées ? Shipton ne révélera jamais la vérité, mais la théorie du canular est généralement retenue.

ESPÈCE INCONNUE OU LÉGENDE ?

De nombreuses hypothèses ont été avancées pour expliquer l'origine du yéti. Celle de l'existence d'espèces inconnues descendant du singe et vivant dans les montagnes ou les forêts a la vie dure. Pourtant, si de telles espèces avaient vécu ou vivaient encore, des fossiles et des squelettes auraient nécessairement été retrouvés au cours des expéditions de recherche de l'homme des neiges.

D'ailleurs, tous les soi-disant restes de yéti soumis à des analyses se sont révélés faux. Il a été montré que les **scalps** entreposés dans les monastères himalayens étaient fabriqués à partir de peau et de poils de chèvre. Des tests d'ADN faits sur des poils attribués à l'homme-singe ont prouvé qu'ils appartenaient bel et bien à des animaux connus, comme des ours.

En vérité, aucune preuve scientifique n'a réussi à démontrer l'existence d'un yéti, d'un *almasty*, d'un sasquatch ou autre... Ces créatures étant présentes dans des œuvres poétiques et des légendes vieilles de centaines d'années, voire de millénaires, il est raisonnable de croire que ces hommes sauvages existent, oui, mais dans l'imaginaire collectif.

Le monstre

du loch Ness

UN MONSTRE CÉLÈBRE

Qui n'a jamais entendu parler du fameux monstre du loch Ness, affectueusement surnommé « Nessie »? Décrit à maintes reprises comme une bête serpentine au dos recouvert de bosses et au long cou, il est particulièrement populaire depuis les années 1930. On ne compte plus les témoins affirmant l'avoir aperçu nageant à la surface de l'eau, le plus souvent au crépuscule.

C'est pourtant en 565 qu'on recense la première apparition de Nessie. Selon une version de l'histoire, saint Colomba, un moine irlandais, aurait enterré cette année-là un homme tué par le monstre. Une deuxième version raconte au contraire que saint Colomba aurait *sauvé* l'homme : traçant un signe de croix, il aurait ordonné au monstre de le laisser en paix. « An Niseag » aurait obtempéré.

Tranquille jusqu'au 20ᵉ siècle, Nessie aurait par la suite redonné signe de vie régulièrement à partir de 1933, année de la construction d'une route en bordure du lac. Un hôtelier, John Mackay, et sa femme disent avoir vu l'eau se troubler, puis avoir aperçu « quelque chose ressemblant à une baleine ». Quelques mois plus tard, le loch Ness était devenu une attraction touristique courue.

• • • • • • • • • • • • • • • •

OÙ ?
En Écosse

QUAND ?
À partir de 565

• • • • • • • • • • • • • • • •

NESSIE IMMORTALISÉ

L'une des premières photos du monstre du loch Ness, qui remonte à 1934, a contribué à répandre la légende. Prise par un certain Dʳ Robert Kenneth Wilson, elle a fait le tour du monde. On y voit le cou et la tête d'une bête inconnue sortant de l'eau. Plusieurs experts s'y sont penchés pour en déterminer l'origine : un plésiosaure ? une loutre ? un banal tronc d'arbre ?

Malheureusement pour les adeptes de Nessie, soixante ans après sa diffusion, la photo est reconnue comme un canular... L'un de ses auteurs, Christian Spurling, avoue avoir fabriqué le « monstre » en collant un cou et une tête sur un sous-marin jouet. Le nom du Dʳ Wilson a été

utilisé pour donner de la crédibilité à la photo. Les gens n'y ayant vu que du feu, les farceurs ont tardé à révéler la vérité.

Le mystère n'est pas résolu pour autant. En plus des témoignages visuels, avec l'avancement de la technologie, des vidéos de Nessie apparaissent. L'une d'elles, filmée en 2007, relance le débat sur l'existence d'un monstre dans le loch Ness. Un autre canular ? La très sérieuse chaîne de télé BBC Écosse a diffusé la vidéo en laissant le soin à ses téléspectateurs d'en juger.

UN VRAI MONSTRE ?

Une créature extraordinaire vit-elle réellement dans le loch Ness ? Pour en avoir le cœur net, le Bureau d'enquête sur les phénomènes du loch Ness a été créé en 1961. Des expéditions ont sondé le lac avec des moyens scientifiques... la plupart du temps sans rien détecter. Des sonars ont cependant parfois relevé des échos étranges, signifiant que « quelque chose » se trouverait au fond.

La théorie la plus répandue, celle d'un ou de plusieurs plésiosaures ayant survécu et vivant dans le loch Ness, a été maintes fois étudiée. Toutefois, plusieurs faits la contredisent. Entre autres, un animal à sang froid ne pourrait vraisemblablement pas survivre dans les eaux glaciales du lac le plus profond d'Écosse. La vie aquatique y étant réduite, il n'aurait pas non plus de quoi se nourrir.

De façon très terre à terre, il est probable que les gens, voulant tellement croire à Nessie, voient un « monstre » dans des phénomènes naturels : vagues, esturgeons, phoques, envol d'oiseaux, troncs d'arbre à la dérive... Une chose est certaine : le mystère du loch Ness n'a pas fini d'attirer les curieux dans ce coin de pays magnifique !

Les templiers

LES CRÉATURES ET PERSONNAGES MYSTÉRIEUX :

DES MOINES-SOLDATS

Les templiers, aussi appelés les Pauvres Chevaliers du Christ et du Temple de Salomon, sont les membres d'un **ordre** religieux et militaire catholique, l'ordre du Temple, qui a existé du 12e au 14e siècle. On les reconnaissait notamment grâce à leur manteau orné d'une croix rouge sur l'épaule gauche, du côté du cœur, qui rappelait le sang versé par Jésus-Christ sur la croix.

À la fois **moines** et soldats, les templiers avaient pour mission de protéger les lieux saints de la religion catholique et ses fidèles. En plus de se battre lors des **croisades** et de la *Reconquista*, ils accompagnaient et protégeaient les pèlerins qui se rendaient à Jérusalem, la ville du **Proche-Orient** où Jésus-Christ aurait été crucifié, puis serait ressuscité.

Pour financer leurs coûteuses expéditions, les templiers possédaient de nombreuses terres en Europe, sur lesquelles ils percevaient des taxes et des impôts. Devenus extrêmement riches, ils en sont venus à prêter de l'argent à des rois et à veiller sur l'ensemble des ressources financières de certains royaumes, comme la France. Cette situation les a rendus très puissants.

UNE CHUTE LÉGENDAIRE

En 1291, les lieux saints du Proche-Orient sont perdus définitivement. Privés de leur mission, une partie des templiers plongent dans une vie contraire à leurs vœux de pauvreté, d'obéissance et de chasteté. Dès lors, leur existence est remise en question. Lorsqu'ils reviennent s'installer dans leurs terres d'Europe, les souverains, en particulier le roi de France, ne voient pas ce retour d'un bon œil.

Philippe IV le Bel, en effet, craint que son pouvoir soit menacé par celui des templiers, des militaires tout-puissants et richissimes, qui répondaient du **pape** et non de lui. Leur immense fortune lui fait également envie, les finances de la France étant à sec. Il accuse alors les membres de l'ordre de comportements allant à l'encontre de leur état. Sous la torture, ceux-ci avouent de faux torts.

Après un procès mené injustement, les templiers sont reconnus coupables de maintes fautes. Cinquante-quatre d'entre eux sont brûlés vifs le 18 mars 1314, incluant Jacques de Molay, le grand maître de l'ordre. La légende raconte que celui-ci, au moment de trépasser, aurait lancé une malédiction sur le pape Clément V, qui ne l'avait pas protégé, et sur Philippe le Bel, son persécuteur.

UNE VÉRITABLE MALÉDICTION ?

Dans le roman *Les rois maudits*, l'auteur Maurice Druon formule cette malédiction ainsi : « Pape Clément !... [...] Roi Philippe !... Avant un an, je vous cite à paraître au tribunal de Dieu pour y recevoir votre juste jugement ! Maudits ! Maudits ! Maudits ! Tous maudits jusqu'à la treizième génération de vos races ! »

Peu de temps après Jacques de Molay, le 20 avril 1314, le pape Clément V décède. Il est bientôt suivi de Philippe le Bel, le 29 novembre 1314. Puis, au cours des années suivantes, les trois fils de ce dernier meurent sans laisser d'héritiers masculins à la couronne. Avec eux s'éteignait la lignée directe des Capétiens, une branche de la monarchie française qui régnait depuis 987.

Hasard ou véritable malédiction ? Des historiens ont prouvé que la malédiction de Jacques de Molay a été inventée, sans doute pour « expliquer » une suite de morts improbables, bien que naturelles, et la fin d'une dynastie puissante : pour les esprits médiévaux, seule une cause surnaturelle pouvait expliquer un tel désastre. Quoi qu'il en soit, 700 ans plus tard, la légende est toujours bien vivante.

LES CRÉATURES ET PERSONNAGES MYSTÉRIEUX :

L'homme au

masque de fer

UN PRISONNIER CÉLÈBRE

Parmi les prisonniers de l'histoire de France, l'homme au masque de fer est peut-être le plus célèbre, et sans aucun doute le plus mystérieux. Incarcéré pendant 34 ans dans diverses prisons françaises, il meurt en 1703 sans que sa véritable identité soit révélée. Selon le registre de la **Bastille**, il est enterré en toute discrétion au cimetière Saint-Paul sous un nom d'emprunt, Marchioly.

D'après le père Griffet, **confesseur** à la Bastille au 18e siècle, immédiatement après la mort du prisonnier anonyme, toute trace de sa présence aurait été effacée : ses effets personnels auraient été brûlés, et sa cellule, méticuleusement récurée, puis repeinte. Même les carreaux du plancher auraient été remplacés, de peur que l'homme ait tenté de laisser un message.

Les conditions de détention du prisonnier auraient été aussi étonnantes. Traité avec égards, comme un personnage d'importance, il aurait néanmoins été tenu dans l'isolement et menacé d'être tué sur-le-champ s'il parlait de lui à quiconque. Obligé de cacher ses traits derrière un **loup**, il aurait été forcé de porter un masque de fer lors d'un transfert entre prisons, d'où son surnom.

• • • • • • • • • • • • • •

OÙ ?
En France

QUAND ?
De 1669 à 1703

• • • • • • • • • • • • • •

UN MYSTÈRE QUI S'ÉPAISSIT

Qui était donc cet homme qui méritait de telles précautions ? Dès 1687, l'attention de certaines **gazettes** est attirée sur le mystérieux prisonnier. C'est pourtant Voltaire qui en fait une légende avec la parution, en 1751, du *Siècle de Louis XIV*. Au chapitre 25 de son livre, le **philosophe** et auteur raconte une histoire captivante sur l'identité du fameux homme au masque de fer...

Selon celle-ci, le prisonnier aurait été le frère jumeau du roi Louis XIV, né quelques instants avant lui. Pour une raison inconnue, la mère du roi, Anne d'Autriche, et son conseiller, Mazarin, auraient écarté l'enfant du trône et l'auraient fait élever à l'écart. Plus tard, quand

Louis XIV aurait découvert la vérité, il aurait fait emprisonner son frère, afin que son **droit de régner** ne soit pas remis en question.

Après l'histoire de Voltaire, des dizaines d'hypothèses seront proposées pour résoudre le mystère de l'homme au masque de fer. Même le roi Louis XVI tentera de l'éclaircir pour satisfaire la curiosité de sa femme, Marie-Antoinette. Bien qu'il soit l'arrière-arrière-petit-fils de Louis XIV, il n'arrivera pourtant pas à percer le secret.

UN SIMPLE VALET ?

C'est avec la Révolution française, qui a mis fin à la monarchie, que des indices sur l'identité du prisonnier anonyme sont révélés. Selon des archives, il s'agirait d'un simple valet nommé Eustache Dauger (on parle aussi de Danger). Il

aurait été arrêté en juillet 1669 près de la ville de Dunkerque, sans motif connu, sous les ordres de Louvois, un ministre de Louis XIV.

L'identité de l'homme au masque de fer ne répond cependant pas à une question cruciale : pourquoi un simple valet aurait-il été détenu si longtemps et entouré d'autant de soins et de précautions ? Les spéculations reprennent de plus belle : Dauger devait nécessairement détenir des secrets risquant de compromettre un personnage important. Mais qui ?

On sait qu'en prison, le valet a servi Nicolas Fouquet, un homme d'État autrefois puissant incarcéré par Louis XIV. Aurait-il appris des informations dangereuses à son contact ? Si oui, l'aurait-on empêché de les révéler ? L'hypothèse est crédible, mais impossible à confirmer. Plus de 300 ans après sa mort, l'homme au masque de fer demeure un mystère.

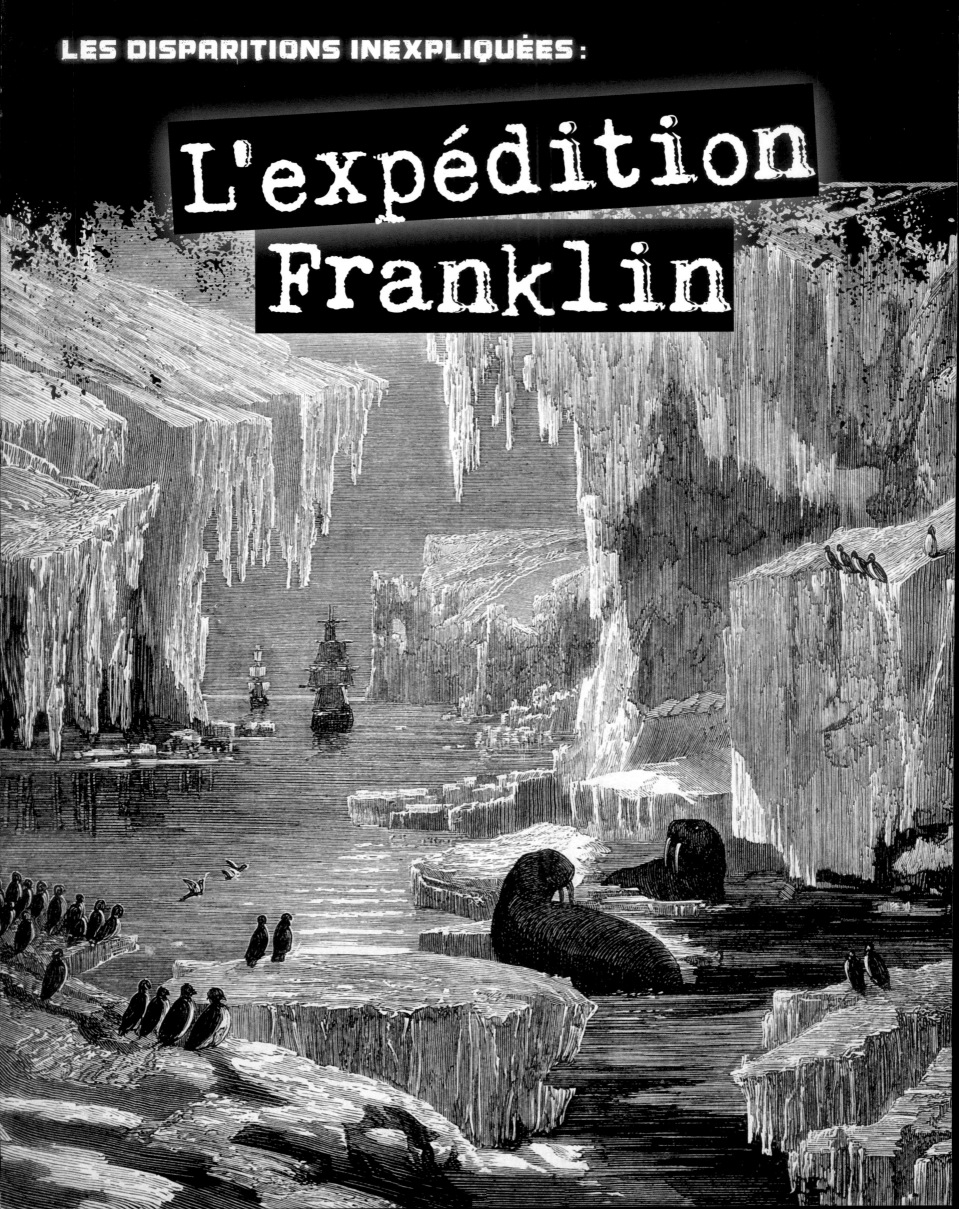

LES DISPARITIONS INEXPLIQUÉES :

L'expédition Franklin

UNE ROUTE VERS L'OUEST

Dans les années 1840, l'Empire britannique est à son apogée. Considéré comme le « pays sur lequel le soleil ne se couche jamais », il possède des colonies aux quatre coins de la Terre. Une zone en reste toutefois méconnue : l'archipel arctique canadien, un regroupement d'îles situées au nord du continent américain, dans l'océan Arctique.

À cette époque, aucune carte exacte de l'Arctique n'a encore été tracée, le froid et la glace rendant la navigation difficile dans ses eaux. Comme d'autres nations, les Britanniques espèrent toutefois y trouver un passage qui relierait l'océan Atlantique à l'océan Pacifique : le « passage du Nord-Ouest ». Celui-ci éviterait d'avoir à contourner l'Amérique du Sud, ce qui faciliterait grandement le commerce.

Motivée par cette idée, la Royal Navy, la marine royale britannique, finance de nombreuses expéditions tout au long de la première moitié du 19e siècle, mais elle ne récolte que des succès partiels. Qu'à cela ne tienne, une nouvelle expédition est préparée en 1845. John Franklin, un explorateur d'expérience ayant déjà navigué dans l'Arctique, en reçoit le commandement.

UNE EXPÉDITION QUI TOURNE À LA CATASTROPHE

L'expédition Franklin est composée de deux navires, le HMS *Erebus* et le HMS *Terror*, équipés des meilleures inventions de l'époque : coque renforcée, hélices métalliques, moteur à vapeur, chauffage interne... On y embarque des vivres en quantité suffisante, dont 8 000 boîtes de conserve, pour nourrir 110 membres d'équipage et 24 officiers pendant 3 ans !

L'*Erebus* et le *Terror* quittent l'Angleterre le 19 mai 1845, accompagnés des HMS *Rattler* et *Barretto Junior*. Ils s'arrêtent en Écosse, puis se dirigent vers le Groenland, où cinq hommes sont renvoyés chez eux. Les navires sont ensuite vus dans la baie de Baffin par les baleiniers européens *Prince of Wales* et *Enterprise*. Par la suite, on n'a plus jamais eu de leurs nouvelles...

QUELQUES MORCEAUX DU CASSE-TÊTE

Qu'est-il arrivé à l'expédition Franklin ? Restée en Angleterre, lady Jane Franklin, la femme du commandant, commence à s'inquiéter après deux ans d'absence. Lente à réagir, la Royal Navy n'envoie des secours qu'au printemps 1848. Au fil des ans, de nombreuses expéditions sont organisées pour récolter des indices du destin de l'*Erebus* et du *Terror*, et de leur équipage.

En 1851, on découvre ainsi les tombes de trois marins sur l'île Beechey, ce qui permet de déduire que l'expédition y a passé l'hiver 1845-1846. En 1859, une note signée par James Fitzjames et Francis Crozier, les commandants des navires, est retrouvée sur l'île du Roi-Guillaume. Datée du 25 avril 1848, elle détaille le fil des événements jusqu'à ce jour.

Après leur premier hiver à l'île Beechey, les navires se sont dirigés vers l'île du Roi-Guillaume, où ils ont été piégés par la glace en septembre 1846. Ils y ont passé les hivers 1846-1847 et 1847-1848, pendant lesquels de nombreux hommes sont morts, y compris John Franklin, le 11 juin 1847. À court de provisions, les hommes restants ont décidé de se diriger à pied vers la rivière Back.

Des témoignages d'Inuits ainsi que des cadavres et objets retrouvés laissent deviner la suite : tous les membres de l'expédition Franklin sont morts en chemin. Des analyses menées dans les années 1980 ont permis d'en apprendre davantage : la faim, le froid, les maladies – scorbut, tuberculose, pneumonie – et un empoisonnement au plomb causé par les boîtes de conserve ont eu raison d'eux.

Retrouvée en 2014, l'épave de l'*Erebus* pourrait bien apporter de nouvelles informations sur la triste fin de cette expédition, qui se voulait plus grande que nature...

OÙ ?
De l'Angleterre au Canada

QUAND ?
De 1845 à 1848

La Mary Celeste

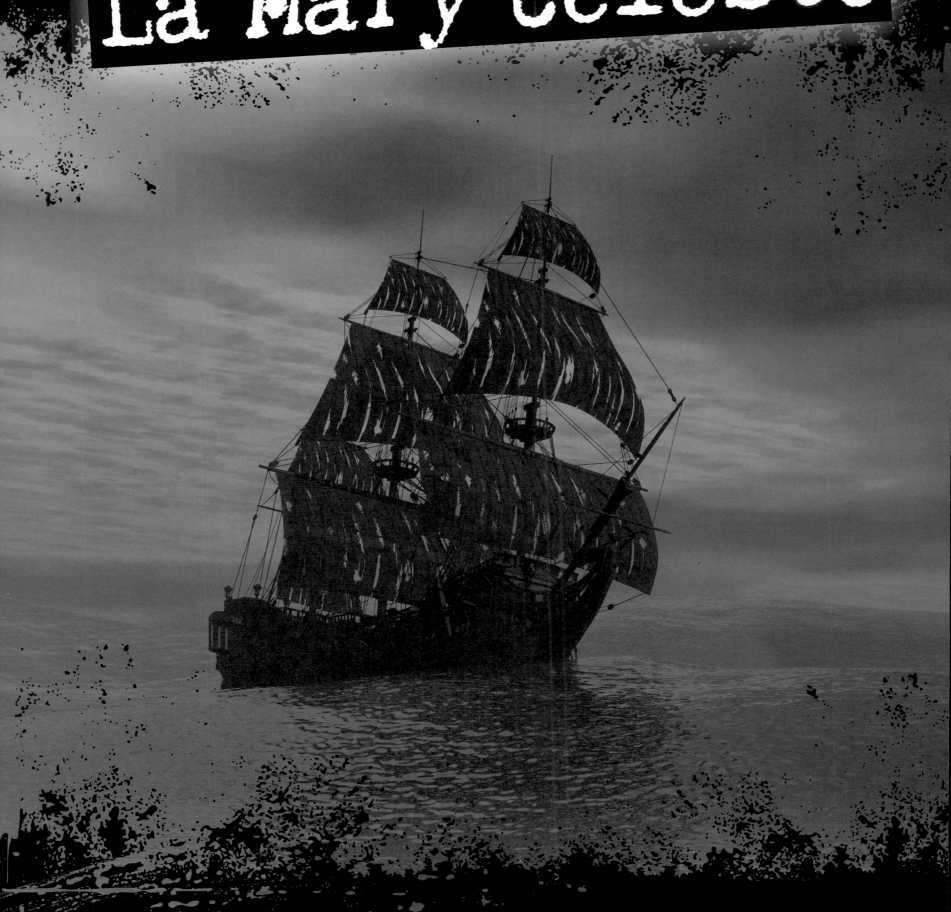

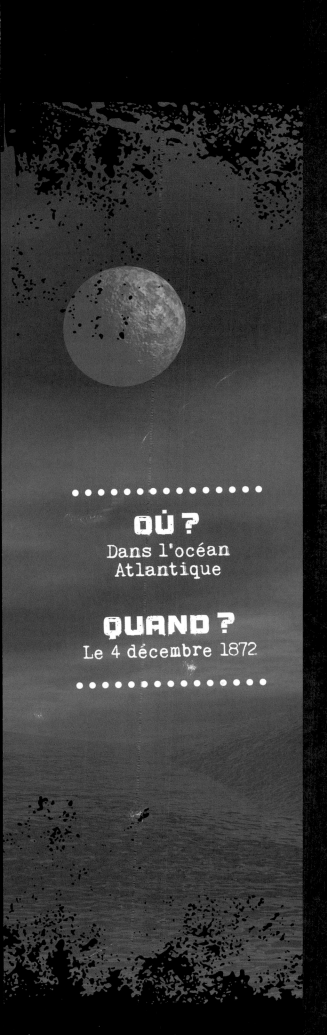

OÙ ?
Dans l'océan
Atlantique

QUAND ?
Le 4 décembre 1872

UN VAISSEAU FANTÔME

De tous les mystères du monde maritime, celui de la disparition de l'équipage et des passagers de la *Mary Celeste* reste sans doute le plus énigmatique. Reprise par de nombreux auteurs depuis le 19ᵉ siècle, son histoire s'est transformée au point où le **brick-goélette** est devenu une légende parmi les **vaisseaux fantômes**.

Voici les faits : le 4 décembre 1872, le *Dei Gratia*, un voilier qui navigue dans l'Atlantique, près des Açores, aperçoit au loin un brick-goélette à la dérive. Intrigué, le commandant David Reed Morehouse pointe sa longue-vue vers le navire : il reconnaît la *Mary Celeste*, partie de New York quelques jours avant lui à destination de l'Italie. De loin, aucun signe de vie n'est détecté.

Le *Dei Gratia* s'approche et Morehouse envoie trois de ses hommes inspecter le navire. À bord, rien de suspect, sauf un élément de taille : l'équipage et les passagers de la *Mary Celeste* sont introuvables. Qu'est-il advenu du capitaine Benjamin Griggs, de sa femme, de sa fille de deux ans ainsi que de ses huit membres d'équipage ? Ces dix personnes se sont-elles volatilisées ?

UNE ENQUÊTE, BEAUCOUP DE QUESTIONS

Le brick-goélette est remorqué sans problème par le *Dei Gratia* jusqu'à Gibraltar, où une enquête est ouverte. Les marins qui y sont montés témoignent : les voiles étaient désordonnées et un mètre d'eau s'était accumulé dans la cale, mais le navire était en état de naviguer. Sa cargaison, 1 701 barils d'alcool, était intacte et des provisions pour 6 mois ont été découvertes.

En fouillant plus attentivement, les marins ont remarqué que divers objets manquaient : le **chronomètre**, le **sextant** et un canot de sauvetage. Les biens des occupants du navire, au contraire, s'y trouvaient toujours. Quant au journal de bord, il portait une dernière entrée en date du 25 novembre : « À cinq heures, l'île de St Mary à l'ESE. »

Ces indices montrent qu'au moment où le *Dei Gratia* l'a retrouvée, la *Mary Celeste* avait été abandonnée depuis un peu plus d'une semaine. Tout pointe vers un départ volontaire et ordonné – aucune trace de violence n'est visible –, mais rapide. Le capitaine Griggs a-t-il voulu fuir un danger ? Si oui, quel danger ? Qu'est-ce qui l'aurait poussé à risquer la vie, notamment, de sa femme et de sa fille ?

QUE DES HYPOTHÈSES

Jusqu'à ce jour, des dizaines d'hypothèses ont été avancées pour expliquer la disparition des occupants de la *Mary Celeste*. Il est toutefois impossible d'en déterminer la cause avec certitude, puisque les protagonistes n'ont jamais été retrouvés. Deux théories s'avèrent néanmoins plus plausibles que les autres.

Première théorie : le capitaine aurait pensé que le navire était sur le point de couler. Une de ses deux pompes était en effet démontée, et Griggs aurait peut-être mal estimé la quantité d'eau présente dans la cale. Il aurait alors embarqué dans le canot de sauvetage avec les autres occupants, en espérant rejoindre Santa Maria, qu'il venait de contourner.

Deuxième théorie : Griggs aurait cru à une explosion imminente de sa cargaison. En effet, l'alcool qu'il transportait était hautement inflammable et des vapeurs ont pu s'échapper des barils. En attendant qu'elles s'évaporent, le capitaine aurait attaché le canot de sauvetage au brick-goélette, dans l'intention d'y remonter plus tard.

Dans les deux cas, les occupants du canot ont certainement fini leurs jours noyés. Soit celui-ci se serait renversé à cause d'une tempête, soit il aurait coulé sous le poids des dix personnes qu'il portait. Est-ce vraiment ce qui est arrivé ? Nul ne le sait... et nul ne le saura probablement jamais.

LES DISPARITIONS INEXPLIQUÉES :

L'évasion d'Alcatraz

UNE ÉVASION RÉUSSIE ?

Parmi les évasions de prison qui ont le plus marqué les imaginaires, celle d'Alcatraz trône assurément tout en haut du lot. Son mystère non résolu – les évadés ont-ils survécu ? – fascine encore. Quant à sa mise en œuvre et au lieu où elle s'est produite, un pénitencier de haute sécurité pour criminels récalcitrants situé sur une île, ils ne font qu'ajouter à son aspect spectaculaire.

OÙ ?
Dans la baie de San Francisco

QUAND ?
Dans la nuit du 11 juin 1962

Surnommée « *The Rock* » (en français, « Le rocher »), l'île d'Alcatraz se trouve dans la baie de San Francisco, réputée pour son eau froide et ses forts courants marins. Trop petite pour être habitée, elle a néanmoins accueilli une forteresse, une prison militaire, puis de 1934 à 1963, la fameuse prison d'Alcatraz, dont on jugeait qu'il était quasi impossible de s'évader. Et pourtant...

Le matin du 12 juin 1962, les gardiens d'Alcatraz font leur tournée habituelle, quand ils constatent la disparition des prisonniers Frank Morris, Clarence Anglin et John Anglin, deux frères : dans leur lit, de fausses têtes de papier mâché recouvertes de cheveux, mais nulle trace des trois hommes. Estomaqués, les gardiens s'empressent de donner l'alerte.

UNE ENQUÊTE PEU FRUCTUEUSE

Une enquête s'amorce aussitôt. Des trous creusés derrière la grille de ventilation des trois cellules sont rapidement découverts. Ils débouchent sur un couloir de service menant au toit. C'est par là que les prisonniers ont dû s'échapper, mais pour aller où ? Des chiens pisteurs dirigent les enquêteurs vers le rivage. Manifestement, les évadés ont décidé de braver les eaux : ont-ils atteint la terre ferme ou se sont-ils noyés ?

Plus de cinquante ans plus tard, toujours pas de réponse. Malgré une chasse à l'homme d'envergure, Frank Morris et Clarence et John Anglin n'ont jamais été retrouvés. Quant aux recherches dans la baie de San Francisco, elles n'ont pas permis de récupérer leurs corps. Seuls une pagaie de bois et un sac avec des effets personnels ont été repêchés près d'Angel Island, à quelques kilomètres d'Alcatraz.

L'interrogation des détenus permet d'en apprendre davantage. En effet, l'un d'eux, Allen West, était dans le coup, mais n'a pas réussi à sortir de sa cellule à temps pour rejoindre ses complices. Il révèle les détails du plan imaginé par Frank Morris : grâce à un radeau fait d'imperméables, les évadés devaient ramer jusqu'à Angel Island, pour ensuite traverser jusqu'au continent. De là, ils planifiaient de voler des vêtements et une voiture dans le comté de Marin... et de disparaître.

UN PLAN RISQUÉ, MAIS POSSIBLE

Ont-ils réussi ? Les enquêteurs de l'époque ont conclu à la noyade des évadés et les ont déclarés morts. Aucun vol de voiture n'a été rapporté dans le comté de Marin après l'évasion. Les proches des prisonniers ont affirmé n'avoir eu aucune nouvelle d'eux. Mais surtout, la froideur de l'eau et les courants marins ont dû avoir raison des trois hommes. Leur plan était trop risqué.

Vraiment ? Une émission américaine qui teste des mythes, *MythBusters*, a pourtant prouvé en 2003 qu'il était possible de réaliser le plan prévu par Frank Morris. Ses animateurs se sont retrouvés à Marin Headlands, au sud du comté de Marin, et non à Angel Island, mais ont montré que la noyade n'était pas assurée. En 2014, des scientifiques qui ont reproduit par ordinateur les courants marins des 11 et 12 juin 1962 ont également confirmé la faisabilité du plan, qui restait toutefois risqué.

Alors, les évadés d'Alcatraz ont-ils survécu à leur traversée ? Tant que la preuve qu'ils sont vivants ou morts ne sera pas trouvée, l'enquête reste ouverte. Peut-être dévoilera-t-elle un jour la vérité. Pour le moment, cependant, le mystère reste entier.

Le vol MH370

UN AVION VOLATILISÉ

Le 8 mars 2014, l'une des catastrophes aériennes les plus singulières de l'histoire de l'aviation est survenue : la volatilisation du vol 370 de la Malaysia Airlines, la compagnie aérienne de la Malaisie, avec à son bord 227 passagers et 12 membres d'équipage. Disparu des écrans radars, l'avion n'a pas été retrouvé depuis, malgré la recherche de ce type la plus coûteuse de tous les temps.

Ce jour-là, le **Boeing 777** de la Malaysia Airlines décolle de l'aéroport international de Kuala Lumpur, en Malaisie, à 0 h 41, heure locale. Sa destination est Pékin, en Chine, qu'il doit rejoindre après 5 h 49 de vol. À 1 h 19, il quitte l'espace aérien malaisien, et un dernier contact radio est établi avec les contrôleurs. « Bonne nuit, Malaysia 370 », dit alors le pilote Zaharie Ahmad Shah.

Trois minutes plus tard, le **transpondeur** de l'appareil est désactivé, et le vol MH370 disparaît des écrans radars du Vietnam, dont il se trouve dans l'espace aérien. De multiples tentatives de contact vocal sont faites, mais l'avion ne répond pas. Une heure après l'arrivée supposée de son appareil à Pékin, la Malaysia Airlines annonce sa disparition. Qu'est-il arrivé au Boeing 777 ?

DÉBUT DE L'ENQUÊTE

Quelques heures après sa volatilisation, les hypothèses ne tardent pas à fuser. La première est celle de la désintégration brutale de l'avion en vol. En effet, aucun débris n'a été retrouvé au sol. Par ailleurs, aucun signal de détresse n'a été lancé et aucune dysfonction n'a été signalée. On évoque alors la possibilité d'une prise des commandes par des terroristes à bord, qui l'auraient fait exploser.

Cette théorie est cependant écartée peu après, quand l'enquête met au jour un élément étonnant : des communications satellites ont permis de confirmer que le vol MH370 a continué à voler pendant environ six heures après la désactivation de son transpondeur. Ces mêmes signaux ont de plus révélé qu'il avait complètement changé de trajectoire et qu'il aurait fait demi-tour.

Les recherches sont donc stoppées dans la mer de Chine et portées vers le nord de l'Inde et l'océan Indien. Encore une fois, pourtant, aucun débris n'est retrouvé sur terre, ce qui laisse supposer que l'avion s'est perdu soit au-dessus de l'océan Indien, soit dans l'océan lui-même. Plusieurs pays du monde mettent alors leurs ressources en commun pour découvrir des indices.

UN MYSTÈRE PERSISTANT

Des mois plus tard, toujours pas de traces du vol MH370, et plusieurs parlent du plus grand mystère de l'aviation. Chacun s'étonne qu'à l'époque des satellites et de la géolocalisation, il soit possible de perdre un objet aussi gros qu'un Boeing 777. Comme si celui-ci avait disparu de la surface de la Terre ! Il n'en fallait pas plus pour que la thèse d'un enlèvement extraterrestre surgisse...

Pourtant, plusieurs éléments laissent croire que l'appareil s'est bel et bien abîmé dans l'océan Indien. Des recherches ont d'ailleurs repris en octobre 2014 pour tenter d'en localiser l'épave au fond de la mer. À cette fin, des **sonars** et des sous-marins explorent un périmètre de 60 000 kilomètres carrés à l'ouest des côtes de l'Australie. Vont-ils réussir leur mission, censée durer un an ? Le temps le dira.

D'ici là, l'explication la plus plausible proposée par les experts reste la suivante : une chute soudaine du niveau d'oxygène dans l'appareil aurait rendu tout le monde inconscient. En pilote automatique, l'avion aurait continué de voler jusqu'à l'épuisement de son carburant, puis se serait écrasé dans la mer. Impuissante jusqu'ici, la technologie réussira-t-elle à percer ce mystère ?

OÙ ?
Fort probablement
dans l'océan
Indien

QUAND ?
Le 8 mars 2014

Toutânkhamon

UN TOMBEAU MAJESTUEUX

Depuis la découverte de son tombeau par l'archéologue britannique Howard Carter en 1922, le pharaon Toutânkhamon n'a cessé de susciter la fascination. Pour la première fois dans l'histoire de l'archéologie, une tombe royale antique est retrouvée intacte, remplie de trésors inestimables. Quant à la momie, elle présente de nombreuses caractéristiques attisant toujours la curiosité.

C'est pourtant le contenu du tombeau qui a d'abord fait de Toutânkhamon l'un des pharaons les plus connus de notre époque : un sarcophage sculpté de 110 kg, plusieurs cercueils en forme de momie imbriqués les uns dans les autres, un masque funéraire en or massif et 2 029 objets précieux, incluant un trône plaqué or, plusieurs lits, des cannes, des vases, des statuettes, des bijoux…

• • • • • • • • • • • • • •

OÙ ?
En Égypte

QUAND ?
Vers 1327 avant Jésus-Christ

• • • • • • • • • • • • • •

Pendant des années, la richesse de ces objets, qui fait rêver à la puissance des anciens pharaons, a occupé l'attention du monde entier. Ce n'est qu'une fois la poussière quelque peu retombée que le corps momifié de Toutânkhamon a commencé à intéresser les chercheurs. De toute évidence, le pharaon était très jeune au moment de sa mort – de 18 à 20 ans. Quelle en était la cause ?

ACCIDENT OU ASSASSINAT ?

En 1968, la momie de Toutânkhamon est soumise aux rayons X. On écarte ainsi l'hypothèse d'un décès provoqué par la tuberculose. Les radiographies montrent cependant un fragment d'os à l'intérieur du crâne ainsi qu'une tache sombre à sa base. On interprète aussitôt ces signes comme les marques d'un coup porté à la tête, suivi d'une hémorragie.

Les suppositions ne tardent alors pas à fuser : le pharaon, qui n'avait apparemment aucune raison de mourir « naturellement » en raison de son jeune âge, aurait soit été victime d'un accident, soit il aurait été assassiné. Comme une partie de sa cage thoracique est manquante, certains penchent vers un accident de char, qui aurait entraîné une collision et un choc à la tête.

D'autres chercheurs penchent pour la thèse de l'assassinat en analysant la succession de Toutânkhamon. En effet, après sa mort, le pharaon, sans héritier, est remplacé par son plus proche conseiller à la cour, un certain Aÿ. Selon cette théorie, Aÿ se serait débarrassé de son protégé avant qu'il n'atteigne l'âge adulte, puis aurait épousé la femme de celui-ci pour devenir pharaon.

UNE MORT NATURELLE

Bien que captivantes, les thèses de la mort accidentelle ou provoquée de Toutânkhamon sont pourtant aujourd'hui démenties par la science. Des analyses ADN et des examens au scanneur ont en effet permis de mettre au jour des éléments pointant vers une mort naturelle : plusieurs maladies et infirmités auraient pu en être la cause, même chez un homme si jeune.

Par exemple, il a été prouvé que Toutânkhamon souffrait de la maladie de Köhler, qui s'attaque aux os et au cartilage, et qui fait énormément souffrir. Cette maladie l'aurait amené à boiter à un tel point qu'il ne pouvait probablement pas se déplacer sans canne… comme celles retrouvées dans son tombeau. Il aurait alors été incapable de conduire un char, ce qui discrédite la thèse de l'accident de char.

Il a aussi été montré que le jeune pharaon souffrait de la malaria, une maladie qui cause un affaiblissement général et, dans certains cas sévères, mène à la mort. Un de ces éléments, ou leur combinaison, a-t-il pu être fatal ? Il est encore impossible de le dire avec certitude… Une chose est néanmoins sûre : Toutânkhamon n'a pas fini de faire parler de lui.

Jack l'Éventreur

DES MEURTRES EN SÉRIE

En 1888, une série de meurtres sordides perpétrés dans Whitechapel, un quartier pauvre de l'est de Londres, sème la panique dans toute la ville. Cinq d'entre eux, commis de façon semblable, sont attribués à un seul homme : le tristement célèbre Jack l'Éventreur (en anglais, « *Jack the Ripper* »). Qui était-il réellement ? Encore aujourd'hui, l'enquête se poursuit.

Tout commence le 31 août, alors que le corps de Mary Ann Nichols, une prostituée de 43 ans, est découvert dans une ruelle de Whitechapel. Les meurtres de prostituées y sont courants à la fin de l'**époque victorienne**. Celui-ci est cependant remarqué en raison de sa violence : la gorge de la victime a été tranchée à deux reprises et le bas de son ventre a été mutilé à coups de couteau.

• • • • • • • • • • • • • • • •

OÙ ?
À Londres

QUAND ?
En 1888

• • • • • • • • • • • • • • • •

Une semaine plus tard, le 8 septembre, une deuxième prostituée est retrouvée assassinée : Annie Chapman, 47 ans. Comme pour Mary Ann Nichols, sa gorge a été tranchée et son ventre, ouvert. Cette fois-ci, par contre, une partie des organes de la victime ont été retirés. Cela fait dire au médecin qui l'examine que le meurtrier possède des bases d'anatomie et est habile avec un couteau.

UNE ENQUÊTE PEU CONCLUANTE

Hormis cette déduction, la police londonienne possède peu d'indices pour retracer le tueur, dont l'identité est inconnue. L'enquête piétine lorsque, fin septembre, la police reçoit une lettre, signée « Jack l'Éventreur », qui donnera son surnom au meurtrier. La lettre prévient que celui-ci frappera de nouveau bientôt et qu'il coupera les oreilles de sa prochaine victime.

Malgré cet avertissement, la police n'arrive pas à empêcher le meurtre d'Elizabeth Stride la nuit du 30 septembre. Le tueur semble cependant avoir été dérangé puisque l'une des oreilles de la prostituée n'est qu'en partie coupée. En a-t-il été fâché et a-t-il voulu se « venger » ? Cette même nuit, environ une demi-heure plus tard, une quatrième femme, Catherine Eddowes, est tuée.

Malgré des dizaines d'interrogatoires et l'arrestation de plusieurs suspects, la police reste dans le noir et ne parvient pas à stopper Jack l'Éventreur. C'est ainsi que le 9 novembre, il s'en prend à une cinquième prostituée, Mary Jane Kelly, avec encore plus de violence que les fois précédentes. Par la suite, pourtant, plus rien. Qu'est-il advenu du tueur en série ?

UNE CENTAINE DE SUSPECTS

Au fil des ans, de nombreux suspects ont été liés à Jack l'Éventreur par la police et des détectives professionnels et amateurs. Des criminels ont même prétendu être le tueur en série sans qu'aucune preuve ne vienne confirmer leurs propos. Quant à la population londonienne, qui a suivi le déroulement de l'affaire grâce aux journaux, elle y est aussi allée de ses suppositions.

C'est ainsi que, plus de 125 ans après les événements, un total d'une centaine de personnes ont été accusées d'être le tueur de Whitechapel ! La plupart des accusations sont toutefois farfelues, comme celle impliquant le prince Albert Victor, le petit-fils de la reine Victoria. En effet, il a été prouvé hors de tout doute que celui-ci était en Écosse lors des deux premiers meurtres. De plus, il n'avait pas de **mobile**.

Encore en 2014, un détective amateur a affirmé avoir prouvé, grâce à une analyse ADN, que Jack l'Éventreur est l'un des suspects évoqués en 1888 : Aaron Kosminski, un barbier qui vivait à Whitechapel au moment des faits. La plupart des experts rejettent cependant cette thèse. Qui était donc le sordide tueur en série ? La vérité paraît de plus en plus difficile à trouver.

L'affaire Delorme

OÙ ?
À Montréal

QUAND ?
Le 7 janvier 1922

L'AFFAIRE DU SIÈCLE

L e 7 janvier 1922, le corps sans vie d'un jeune homme de 24 ans, Raoul Delorme, est retrouvé dans un champ vague du quartier Snowdon, à Montréal. Après enquête, la police porte des accusations de meurtre prémédité à l'endroit d'Adélard Delorme, 31 ans, le demi-frère de la victime. Le hic? Celui-ci est abbé, ce qui, dans la tête de bien des gens de l'époque, le lave de tout soupçon[1].

L'abbé Delorme subit néanmoins un procès devant jury. Il est déclaré fou et interné dans un hôpital psychiatrique. Le médecin qui s'en occupe juge cependant qu'il est sain d'esprit. Un deuxième procès est donc organisé. Les jurés n'arrivent toutefois pas à décider si l'abbé est coupable ou innocent. Un troisième procès aboutit au même résultat! Le quatrième, cependant, innocente l'accusé.

Ces multiples rebondissements ainsi que la fonction d'Adélard Delorme captivent la population, qui suit l'affaire dans les journaux. Son retentissement est si important qu'on la surnomme « L'affaire du siècle ». L'abbé Delorme était-il réellement innocent ou son état de personnage catholique a-t-il influencé le jury? Tout laisse croire qu'il était bien le meurtrier de son demi-frère...

UN CONTEXTE ACCABLANT

En premier lieu, le mobile de l'abbé Delorme semble évident: l'argent. En effet, à la mort de son père, en 1916, Adélard a été déshérité, probablement parce qu'il vivait dans le luxe, dépensant sans compter. C'est Raoul, son jeune frère, qui a reçu la fortune familiale. Adélard a cependant été chargé de la gérer jusqu'à ce que celui-ci atteigne 25 ans. Or, Raoul a maintenant 24 ans...

Drôle de coïncidence, environ une semaine avant le meurtre, Adélard a pris une assurance-vie pour son frère, qui assure à son héritier de recevoir 25 000 $ s'il meurt. Autre coïncidence étonnante, un testament est découvert lors de l'enquête, qui fait d'Adélard l'unique héritier de Raoul. Encore plus étonnant, ce testament est daté du 6 janvier 1922, la veille du meurtre.

Pour le détective Georges Farah-Lajoie, chargé de l'enquête, il va de soi que la personne à qui profite le plus le meurtre de Raoul est son frère, Adélard. En effet, Raoul, un étudiant plutôt banal, n'a pas d'ennemis connus. On sait en outre qu'il avait l'intention de gérer sa fortune lui-même dès ses 25 ans. Quant à son dernier testament, il a été prouvé qu'il était faux.

---

1. *Au début du 20e siècle, l'Église catholique jouissait d'une énorme influence au Québec. Ses membres pouvaient difficilement être suspectés d'avoir commis des crimes.*

UN ABBÉ INTOUCHABLE

En plus du mobile, Farah-Lajoie apporte de nombreuses preuves matérielles de la culpabilité de l'abbé Delorme lors de ses procès. Pour l'une des premières fois dans l'histoire judiciaire du Québec, des experts viennent témoigner et exposent des faits médicolégaux. Par exemple, le médecin Wilfrid Derome explique que ce qui a été retrouvé dans la voiture de l'abbé Delorme est bien du sang.

Une analyse balistique, c'est-à-dire l'étude des projectiles d'armes, montre par ailleurs que les balles qui ont tué Raoul pouvaient provenir du revolver de l'abbé. Ce type d'analyse, aujourd'hui fréquemment utilisée comme preuve, en était à ses débuts, en 1922. L'affaire Delorme est l'une des premières causes où elle a été mise à profit au Québec.

Ces « premières fois » ont-elles semé le doute dans l'esprit des jurés? Peut-être. Cependant, l'influence de l'Église catholique, qui a fait savoir qu'il était immoral de condamner un abbé, a certainement joué un plus grand rôle dans la libération d'Adélard Delorme. Et si celui-ci était vraiment innocent? Dans tous les cas, l'assassin n'a jamais été attrapé.

LES PRÉSENCES EXTRATERRESTRES :

L'affaire

Roswell

UN ÉCRASEMENT SUSPECT

Même si elle est survenue il y a près de 70 ans, l'affaire Roswell reste sans doute la plus célèbre parmi les supposées manifestations extraterrestres recensées dans l'histoire. Pour les ufologues convaincus, il s'agit assurément de l'écrasement d'une soucoupe volante ; pour les sceptiques, cependant, ce n'est rien d'autre qu'un ballon-sonde. Qui dit vrai ?

La seule chose sur laquelle tout le monde s'entend est la suivante : au début de juillet 1947, « quelque chose » s'est écrasé dans le désert au nord de la ville de Roswell, au Nouveau-Mexique. Quelques jours plus tard, le fermier William « Mac » Brazel tombe sur des débris alors qu'il parcourt ses terres. Ces débris s'étendent sur environ 80 mètres de large et 1 kilomètre de long.

Intrigué par leur aspect, Brazel décide de les montrer à sa famille et à ses voisins, les Proctor, pour obtenir leur avis quant à leur provenance. Les Proctor lui conseillent alors de faire part de sa découverte au shérif : en effet, de nombreux signalements de mystérieux « disques volants » ont été faits dans la région au cours de l'été. Ne s'agirait-il pas de l'un de ces disques ?

OÙ ?
À Roswell, aux États-Unis

QUAND ?
En juillet 1947

• • • • • • • • • • • • • • • •

DES INFORMATIONS CONTRADICTOIRES

Aussitôt mis au courant de l'existence des débris, le shérif de Roswell avertit l'armée de leur présence sur le ranch de Brazel. Le major Jesse Marcel est dépêché sur les lieux pour les récupérer et ils sont envoyés à la base militaire de Fort Worth, au Texas. Le jour même, le 8 juillet, l'armée publie un communiqué disant qu'un disque volant écrasé a été retrouvé à quelques kilomètres de la ville.

Frappés par la nouvelle, les journaux locaux s'empressent de rapporter l'information. Dès le lendemain cependant, la base militaire de Fort Worth organise une conférence de presse pour rectifier les faits avancés : après analyse, les débris sont plutôt identifiés comme les restes d'un ballon météo. Il serait d'ailleurs fréquent que les fermiers en retrouvent dans les environs.

Apparemment satisfaits de ces explications, journalistes et habitants retournent à leurs préoccupations habituelles et, une semaine plus tard, l'incident tombe dans l'oubli... jusqu'en 1978. Cette année-là, le major Marcel, alors à la retraite, se confie à un ufologue à propos de l'affaire Roswell : selon lui, les débris étaient bel et bien d'origine extraterrestre.

DES FAITS AUX RUMEURS

À partir de cette révélation, enquêtes et livres se succèdent sur l'affaire Roswell, qui devient incontrôlable. Des dizaines de témoins se manifestent et prétendent avoir assisté à la récupération des fameux débris. Un élément de taille s'ajoute à l'histoire : des extraterrestres vivants et morts auraient été récupérés sur le lieu de l'écrasement par l'armée, qui les aurait étudiés en secret.

Qu'en est-il de ces affirmations ? En analysant consciencieusement les témoignages, la plupart des chercheurs, et parmi eux des ufologues, sont venus à la conclusion qu'ils étaient faux. En effet, la plupart des « témoins » rapportaient des histoires qu'ils avaient entendues, des rumeurs, et non ce qu'ils avaient vu eux-mêmes, d'où une déformation des faits, comme dans le jeu du téléphone arabe.

Même si beaucoup veulent encore aujourd'hui croire à la thèse extraterrestre, il semblerait que la réalité soit plus banale : comme on l'avait cru en 1947, un ballon-sonde se serait réellement écrasé dans le ranch de William « Mac » Brazel... Explication décevante ? Peut-être. N'empêche qu'avec ses rebondissements multiples, l'affaire Roswell reste toujours intéressante à raconter.

La Zone 51

UNE BASE MILITAIRE ULTRASECRÈTE

Tout le monde ou presque a déjà entendu parler de la fameuse Zone 51 (en anglais, « *Area 51* »). Située dans le désert du Nevada, à environ 160 km au nord-ouest de Las Vegas, cette base militaire enflamme l'imagination populaire depuis les années 1950 en raison de son caractère ultrasecret. En effet, jusqu'en 2013, les autorités américaines niaient tout simplement son existence... Pourquoi ?

• • • • • • • • • • • • • • •

OÙ ?
Dans le désert du Nevada, aux États-Unis

QUAND ?
Depuis les années 1950

• • • • • • • • • • • • • • •

Au fil des décennies, nombre de journalistes et d'enquêteurs amateurs ont tenté de percer le mystère de la Zone 51. Leurs demandes de renseignements officiels auprès de l'armée américaine recevaient invariablement cette réponse : « Ni l'**Air Force** ni le département de la Défense ne possèdent ou n'opèrent aucun lieu connu sous le nom de "Zone 51". »

Ce n'est que le 15 août 2013 que le gouvernement américain reconnaît indirectement l'existence d'un secteur surnommé « Zone 51 ». En effet, il rend public un document de 400 pages jusqu'alors tenu secret, dans lequel l'histoire de la base est révélée. Trop peu, trop tard ? Une chose est certaine : dans l'esprit des **conspirationnistes**, la Zone 51 reste un lieu de contact extraterrestre.

DES OVNIS DANS LA ZONE 51 ?

Cette théorie prend sa source dans les années 1950. À cette époque, le nombre de signalements d'ovnis[1] aux alentours de la Zone 51 augmente de façon importante. Entre autres, plusieurs pilotes d'avions commerciaux signalent apercevoir « comme un objet enflammé » au-dessus d'eux. Ces objets volants non identifiés sont également vus du sol.

1. Voir **Ufologue**.

C'est pourtant à la fin des années 1980 que la théorie du contact extraterrestre prend de l'importance. En 1989, Robert Lazar, un supposé ingénieur et scientifique, donne une entrevue dans laquelle il déclare avoir travaillé dans la Zone 51. Il affirme avoir contribué à créer neuf appareils militaires semblables à des soucoupes volantes, entreposés dans le Secteur 4.

Robert Lazar prétend ensuite s'être aperçu que ces appareils étaient non pas d'origine humaine, mais de fabrication extraterrestre. Il aurait fait cette déduction en montant dans un des appareils et en s'assoyant dans sa cabine de pilotage. Il aurait alors ressenti qu'elle n'était pas conçue pour un corps humain, mais selon les dimensions des extraterrestres tels qu'ils sont généralement représentés.

ILLUSION ET MENSONGES

Malheureusement pour ceux qui aimeraient croire aux extraterrestres, cependant, les faits contredisent la thèse de leur présence dans la Zone 51. En effet, le rapport rendu public en 2013 explique que ce qui était pris pour des ovnis n'était qu'une illusion. De 1954 à 1974, la base militaire servait tout simplement aux essais d'un avion espion ultrasecret : le U-2.

L'illusion s'explique ainsi : dans les années 1950, les avions commerciaux ne pouvaient voler qu'entre 3 000 et 6 000 mètres d'altitude, alors que le U-2 atteignait les 20 000 mètres. Sa couleur argentée captait alors les rayons du soleil et donnait l'impression qu'il s'enflammait. Comme les gens ignoraient qu'un avion pouvait voler si haut, ils concluaient à la présence d'un ovni dans le ciel.

Quant aux déclarations de Robert Lazar, plusieurs éléments laissent penser qu'elles ne sont qu'un tissu de mensonges. Notamment, aucune trace de sa supposée formation de scientifique n'a été retrouvée dans les écoles où il dit avoir étudié. De son côté, Robert Lazar, en bon conspirationniste, prétend que le gouvernement a effacé son passage des registres...

Le plus crédible semble pourtant que la Zone 51 est une « simple » base militaire qui tient ses activités secrètes en raison de la sécurité nationale. Amplement de quoi fasciner !

LES PRÉSENCES EXTRATERRESTRES :

L'ovni de la

PLACE BONAVENTURE

Hilton

Place
Bonaventure

DES LUMIÈRES DANS LE CIEL

Le 7 novembre 1990, un étrange phénomène est aperçu dans le ciel de Montréal : une immense sphère aplatie, d'apparence métallique et entourée de sept ou huit lumières ambrées, reste stationnée pendant environ trois heures au-dessus de la **Place Bonaventure**. Soucoupe volante ou manifestation non expliquée ? Environ 25 ans plus tard, toujours pas de réponse.

Ce soir-là, vers 19 h, des clients de l'hôtel Hilton, situé dans la Place Bonaventure, sont occupés à souper ou à profiter de la piscine sur le toit, quand quelque chose attire leur attention dans le ciel. À travers la couche nuageuse, très épaisse à ce moment, ils distinguent une sorte de halo lumineux. Intrigués, ils interrompent leurs occupations pour observer le mystérieux phénomène.

Peu de temps après, certains clients, persuadés d'assister à un événement extraordinaire, avisent la direction de l'hôtel de ce qui se produit. Prenant la chose au sérieux, celle-ci fait venir la police sur les lieux. Pendant environ trois heures, soit jusqu'à 23 h, les clients et les employés du Hilton de même que les policiers étudient la sphère lumineuse en tentant d'en déterminer l'origine.

OBJET VOLANT...

Sur place, l'agent François Lippé prend la décision de communiquer avec les contrôleurs aériens des aéroports montréalais de Dorval et de Mirabel. Il désire savoir si ceux-ci détectent le phénomène sur leurs radars. Or, ils ne voient rien. Même chose pour la base militaire de Saint-Hubert, sur la rive sud du fleuve Saint-Laurent. Pourtant, les aéroports confirment avoir reçu des appels signalant un objet dans le ciel.

Un deuxième agent de police, Robert Masson, aussi sur le toit de la Place Bonaventure, se demande si le phénomène ne serait pas causé par des lumières au sol. Il fait alors éteindre les projecteurs de l'immeuble voisin, fortement éclairé parce qu'il est en construction. Il n'observe pourtant aucun changement dans le ciel : l'objet, bien que dissimulé dans les nuages, est toujours là.

C'est également ce que constate le photographe du quotidien *La Presse*, Marcel Laroche, envoyé prendre des clichés par son patron. Il est incrédule, entre autres parce que les passants du centre-ville ne semblent rien apercevoir dans le ciel. Il se rend néanmoins sur les lieux. C'est ainsi qu'il prend la seule photo encore en circulation de l'ovni[1] de la Place Bonaventure.

... NON IDENTIFIÉ

Qu'est-ce qui se trouvait dans le ciel de Montréal le soir du 7 novembre 1990 ? Pour la plupart des témoins directs de l'événement, aucun doute ne subsiste, même chez les **sceptiques** : il s'agissait d'une soucoupe volante. Quinze ans plus tard, lors d'une émission sur l'événement diffusée par la chaîne Canal D, le policier Robert Masson s'en montre d'ailleurs toujours convaincu.

Le rapport sur l'événement produit par l'expert Richard Haines, ex-employé de la **NASA**, leur donne des raisons d'y croire. Sans aller jusqu'à dire que ce qui a été observé était un vaisseau extraterrestre, celui-ci confirme qu'un objet volant métallique se trouvait bel et bien dans le ciel. Il réfute ainsi les théories de l'aurore boréale ou des phénomènes astronomiques ou naturels.

Toujours selon ce rapport, d'après l'analyse des photos de Marcel Laroche, l'objet aurait volé à une altitude de 1 000 à 2 700 mètres. Son diamètre aurait fait 540 mètres, soit l'équivalent de 5 terrains de football ! La nature de ce fameux objet reste cependant indéterminée. En saurons-nous plus un jour ? Pour le moment, la seule certitude est la suivante : il s'agissait réellement d'un ovni.

---

1. Voir **Ufologue**.

Les agroglyphes

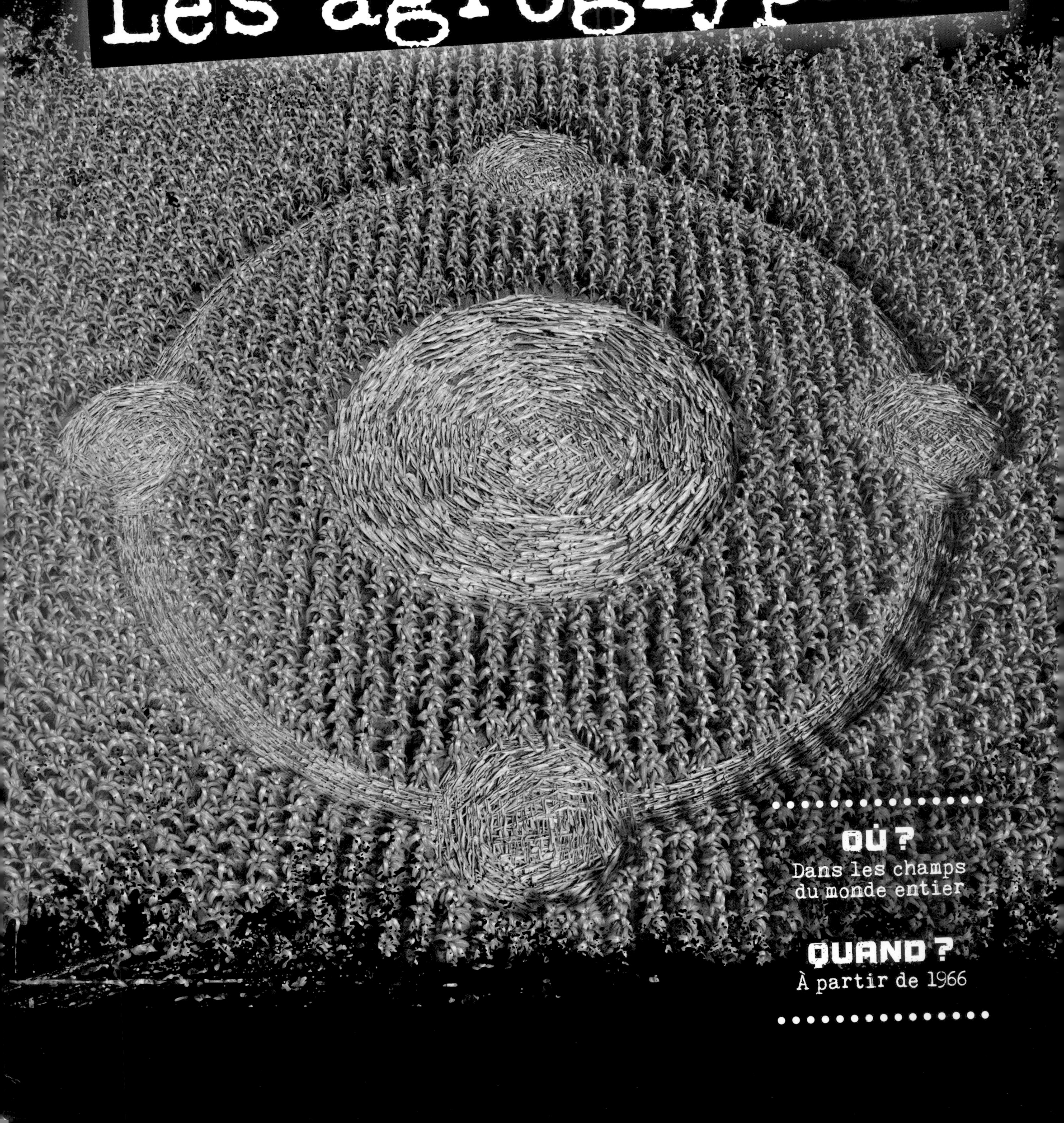

OÙ ?
Dans les champs
du monde entier

QUAND ?
À partir de 1966

DE MYSTÉRIEUX CERCLES DANS LES CHAMPS

Phénomène relevé dans environ 80 pays, les agroglyphes, aussi appelés « cercles de culture » (de l'anglais « *crop circles* »), sont des formes géométriques tracées dans les champs, le plus souvent dans les champs de blé. Découverts pour la première fois dans les années 1960, ils ne cessent de fasciner depuis, tant en raison de leur beauté que de leur fabrication. À qui, ou à quoi, les doit-on ?

L'histoire des agroglyphes remonte au 19 janvier 1966. Ce jour-là, un cercle de végétation aplati est retrouvé dans la **plantation** de George Pedlez, en Australie. Comme celui-ci prétend avoir assisté au décollage d'un objet volant pendant la nuit, le phénomène est aussitôt nommé « nid de soucoupe » (en anglais, « *saucer's nest* »). D'autres « nids » sont découverts par après dans les environs.

Il faut ensuite attendre 1978 pour que le phénomène se répète, cette fois-ci en Angleterre. À compter de cette année-là, des dizaines d'agroglyphes apparaissent dans le sud du pays. On commence également à en retracer dans le monde entier. Plus le temps passe, plus les agroglyphes gagnent en complexité : d'abord de simples cercles, ils deviennent des formes extrêmement élaborées.

L'ŒUVRE D'EXTRATERRESTRES...

Comment les agroglyphes sont-ils faits ? Et par qui ? Pour certains, leur perfection n'étant assurément pas humaine, il ne peut s'agir que de l'œuvre d'extraterrestres. Ils citent des éléments à l'appui de leur thèse : la présence d'ovnis aurait été signalée avant la découverte d'agroglyphes, des lumières tournoyantes associées à des soucoupes volantes auraient été aperçues lors de leur formation...

Un groupe de chercheurs amateurs, le BLT Research Team, prétend pour sa part que les cercles de culture sont faits à l'aide de boules de lumière. Celles-ci, grâce à des micro-ondes, coucheraient les tiges de blé sans les casser. Selon leurs analyses en laboratoire, des traces de ces micro-ondes seraient d'ailleurs repérables sur le blé des agroglyphes, désormais différent du blé « ordinaire ».

Quant à l'origine des boules de lumière, le BLT reste vague, mais n'exclut aucune cause, qu'elle soit extraterrestre ou naturelle. Par exemple, l'une des théories du groupe concerne les « vortex de plasma ». Selon celle-ci, les boules de lumières seraient des tourbillons de plasma, c'est-à-dire de la matière chauffée à une température d'environ 150 millions de degrés.

... OU DE TALENTUEUX ARTISTES ?

Malgré l'attention médiatique qu'elles reçoivent, les explications du BLT ont été contestées par de nombreux scientifiques et journalistes. Les résultats de leurs propres analyses montrent en effet qu'il n'existe pas de différence entre le blé des agroglyphes et d'autre blé. Quant aux théories impliquant des extraterrestres, elles ne sont soutenues par aucune preuve formelle.

En revanche, plusieurs personnes ont reconnu être auteurs d'agroglyphes. Par exemple, en 1991, deux fermiers du sud de l'Angleterre, Doug Bower et Dave Chorley, ont affirmé en avoir réalisé 200 à partir de 1978, et ce, à l'aide de simples cordes et planches de bois. En 2000, Matthew Williams, aussi britannique, a même été reconnu coupable d'avoir endommagé un champ en en créant un.

Ainsi, il est généralement admis que les agroglyphes sont bien l'œuvre d'êtres humains blagueurs ou talentueux. Effectivement, à leurs débuts, ils passaient pour des canulars visant à mystifier les gens. Maintenant, à la vue de leur complexité grandissante, on les associe volontiers à des courants artistiques tels que le **land art** ou le graffiti.

Quoi qu'il en soit, et même s'ils ne sont finalement pas si mystérieux, ces motifs formés dans les champs sont tout simplement magnifiques !

LES MANIFESTATIONS NATURELLES INCROYABLES :

Les géoglyphes

de Nazca

DES LIGNES DANS LE SABLE

L e désert de Nazca, situé sur la côte sud du Pérou, est réputé principalement pour deux choses : son aridité – il n'y tombe en moyenne que 30 millilitres de pluie par an ! – et les lignes creusées dans son sable, les fameux géoglyphes de Nazca. Bien que d'autres dessins tracés dans le sol existent dans le monde, ceux de Nazca, les plus connus, constituent l'un des plus grands mystères de l'**archéologie**.

Découverts en 1926 par un aviateur, les géoglyphes de Nazca représentent soit des figures géométriques – lignes, spirales, triangles, trapèzes... –, soit des animaux – singe, colibri, condor, araignée, baleine... La plupart sont formés d'une seule ligne continue, et certains s'étendent sur plusieurs kilomètres. On en compte environ 350 répartis dans la plaine désertique.

Les géoglyphes peuvent être faits de deux façons : par *entassement* de pierres, de terre ou de sable, ou par leur *enlèvement*. Ceux de Nazca appartiennent à la seconde catégorie. Les membres de la **civilisation nazca** les auraient formés en creusant la surface du désert, composée de minuscules cailloux brun-rouge. Ils ont ainsi mis au jour la couche blanchâtre sous le sable, créant un contraste.

• • • • • • • • • • • • • •

OÙ ?
Dans le désert
de Nazca,
au Pérou

QUAND ?
Entre 200 avant
Jésus-Christ
et 500

• • • • • • • • • • • • • •

DE L'ESPACE À LA TERRE

Si le procédé de fabrication des géoglyphes de Nazca est connu, un mystère demeure : quelle est leur fonction ? Un des premiers chercheurs à s'être intéressé à ces dessins est la mathématicienne d'origine allemande Maria Reiche. De 1939 à sa mort, en 1998, elle consacre sa vie à les étudier et se bat pour assurer leur protection.

Alors qu'elle mesure les lignes de Nazca, la chercheuse acquiert la conviction qu'elles possèdent un lien avec les astres. Selon elle, certaines lignes pointent vers des étoiles importantes ou des constellations. L'araignée serait elle-même une représentation de la constellation d'Orion. D'autres chercheurs font toutefois remarquer que ces conclusions ne s'appliquent pas à tous les géoglyphes.

La théorie de Maria Reiche est donc en partie insatisfaisante... mais moins que celle d'Erich von Däniken. En effet, cet auteur suisse, sans preuve aucune, est pourtant persuadé que les lignes forment une gigantesque piste d'atterrissage pour les vaisseaux spatiaux ! À cette théorie loufoque, la chercheuse allemande répondait que le sol aurait été trop mou pour que des vaisseaux s'y posent...

DES SYMBOLES RELIGIEUX ET AQUATIQUES ?

À ce jour, les hypothèses les plus crédibles sur les géoglyphes de Nazca leur donnent une fonction religieuse ou aquatique. Celles-ci sont basées sur des découvertes archéologiques de la civilisation nazca et sur l'étude du climat dans cette région du Pérou. Elles tiennent également compte de coutumes des populations locales qui remontent à des centaines d'années.

Ainsi, les lignes auraient pu servir à des rituels servant à demander aux dieux un bon approvisionnement en eau, important dans un milieu désertique. Des études ont montré que le sol des lignes était très compact. On y a de plus retrouvé des fragments de poterie. Ces indices pourraient laisser croire que les Nazcas y marchaient en y offrant des cadeaux aux dieux.

Une autre hypothèse suppose que les géoglyphes servaient à cartographier les sources d'eau. Le bec du colibri, par exemple, pointerait vers un puits géant. Cette théorie est entre autres soutenue par le fait que les Nazcas, pour survivre au manque d'eau, avaient développé un réseau d'aqueducs et de puits encore utilisés par les Péruviens.

Ces théories s'approchent-elles de la vérité ? Difficile à dire avec certitude. Une chose est sûre, cependant : les Nazcas, en disparaissant, nous ont laissé un héritage grandiose à admirer !

LES MANIFESTATIONS NATURELLES INCROYABLES :

Les pluies d'animaux

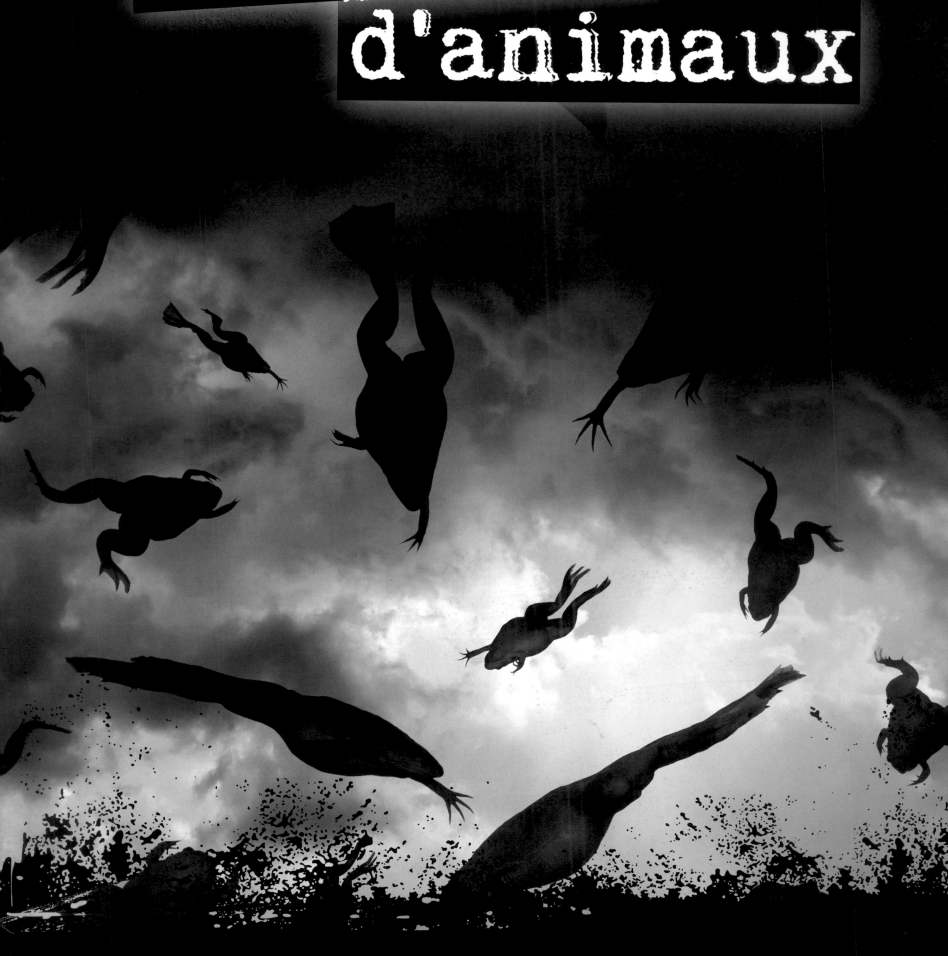

TOMBÉS DU CIEL

Les pluies d'animaux sont parmi les phénomènes naturels les plus mystérieux qui soient. En effet, pendant ces averses atypiques, accompagnées ou non de chutes d'eau, des animaux tombent littéralement du ciel! Parfois vivants, parfois morts, ils sont le plus souvent d'une même espèce, fréquemment de grenouilles, de poissons ou d'oiseaux. Comment l'expliquer?

Ce n'est pas d'hier que l'humain recense des pluies d'animaux dans le monde. Certains textes en font déjà mention dans l'**Antiquité** et au **Moyen Âge**. Le phénomène prend alors des allures de légendes et revêt parfois une signification symbolique. Dans la **Bible**, par exemple, une pluie de grenouilles s'abat sur l'Égypte. Elle aurait été envoyée par Dieu, mécontent du peuple égyptien, pour le punir.

• • • • • • • • • • • • • • • •

OÙ ?
Partout dans le monde

QUAND ?
Depuis toujours

• • • • • • • • • • • • • • • •

Au fil du temps, des centaines de témoignages de pluies d'animaux sont répertoriés: en 1578, des souris s'abattent sur Bergen, une ville de Norvège; le 15 janvier 1877, Memphis, aux États-Unis, reçoit une averse de serpents; le 7 septembre 1953, des milliers de grenouilles tombent sur Leicester, aussi aux États-Unis; le 9 août 2012, la Martinique rapporte une pluie de poissons...

DES CANULARS
AUX EXTRATERRESTRES

Longtemps, les pluies d'animaux n'ont pas été prises au sérieux par les scientifiques. On les voyait comme des blagues, des illusions ou des histoires inventées, puis, crues par des individus crédules. La science ne s'y penchait donc pas pour y apporter d'explications. C'est ainsi que des théories simplistes ou saugrenues ont fait leur apparition.

Par exemple, au 4ᵉ siècle avant Jésus-Christ, Théophraste, un **philosophe** grec, nie le phénomène des pluies de crapauds. Selon lui, ils ne tombent pas du ciel, mais la pluie les incite à sortir de terre. Cette explication ne tient cependant pas compte des pluies d'animaux sans chute d'eau...

Au 16ᵉ siècle, Reginald Scott, un écrivain anglais, émet une hypothèse aujourd'hui rigolote: certains êtres vivants n'auraient pas besoin de parents. Ce serait notamment le cas des grenouilles tombées du ciel, qui naîtraient de la pluie!

Les **conspirationnistes** et les adeptes des extraterrestres ont eux aussi proposé leurs explications. Pour les premiers, les pluies d'oiseaux morts seraient causées par des armes secrètes employées par des militaires. Pour les seconds, les extraterrestres relâcheraient leurs provisions de nourriture terrestre en retournant dans l'espace.

DES TORNADES, OUI, MAIS...

La première explication scientifique des pluies d'animaux vient d'André-Marie Ampère. Selon ce scientifique français du 18ᵉ siècle, le phénomène serait dû à des vents violents qui auraient la force d'emporter les grenouilles et crapauds groupés au sol. Cette théorie se rapproche d'ailleurs de l'hypothèse moderne concernant les pluies d'animaux: les **trombes marines** et les tornades.

On sait que, dans ces deux phénomènes, de forts vents ascendants ont le pouvoir d'« aspirer » ce qui se trouve à la surface de l'eau ou au sol. Le vortex, quant à lui, peut attirer ce qui est dans les airs. Poissons, animaux et oiseaux y seraient pris au piège et transportés loin de leur habitat. Puis, quand les vents du vortex s'essouffleraient, ils retomberaient sur terre.

Si cette explication est crédible, une objection peut toutefois être soulevée: comment se fait-il que les pluies d'animaux regroupent une seule espèce et qu'elles ne soient pas mêlées de terre, d'algues ou de roches? Les vents ne devraient-ils pas les emporter aussi? Sont-ils « sélectifs »? Pour le moment, aucune réponse à ces questions. Les pluies d'animaux n'ont décidément pas fini de nous étonner!

Les enfants

sauvages

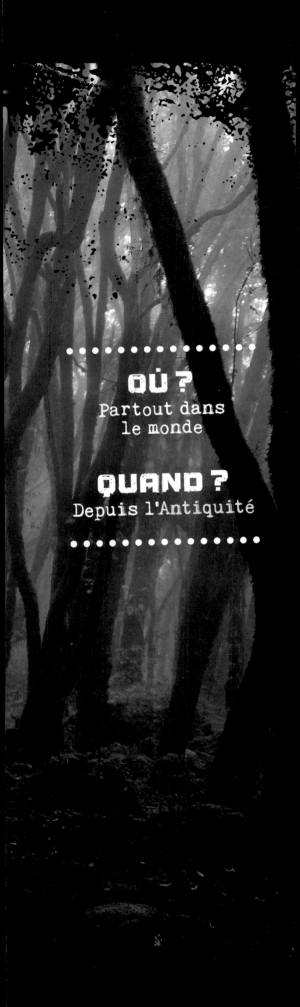

OÙ ?
Partout dans
le monde

QUAND ?
Depuis l'Antiquité

HISTOIRES D'ENFANTS

Depuis que nous sommes petits, nous nous faisons raconter des histoires d'enfants sauvages, c'est-à-dire d'enfants perdus ou abandonnés vivant dans la forêt avec des animaux. Les plus célèbres de ces enfants sont sans doute deux jeunes garçons : Mowgli, du *Livre de la jungle*, adopté et élevé par des loups, et Tarzan, recueilli par des singes. Mais les enfants sauvages existent-ils réellement ?

La légende des enfants adoptés par des animaux remonte à aussi loin que l'**Antiquité**. On la rencontre pour la première fois dans la **mythologie** romaine avec Romulus et Rémus, les fondateurs de Rome. Nouveaux-nés, les jumeaux auraient été abandonnés par leurs parents et retrouvés par une louve. Celle-ci les aurait allaités, les sauvant d'une mort certaine.

Dans la fiction, quand les enfants sauvages réintègrent la société, ils s'y adaptent facilement. Ce n'est pas le cas des « vrais » enfants sauvages, souvent incapables de marcher debout et de parler. L'histoire en compte des dizaines, supposément rescapés par des humains après avoir vécu pendant des années avec des gazelles, des moutons, des ours et des singes ou, plus souvent, des loups.

AMALA ET KAMALA, LES FILLETTES-LOUVES

L'un des récits les plus connus d'enfants-loups est celui des fillettes indiennes Amala et Kamala. Le 9 octobre 1920, elles auraient été trouvées dans la tanière d'une louve, puis ramenées dans un orphelinat tenu par un **révérend**, Joseph Amrito Lal Singh. À ce moment, on aurait estimé qu'Amala avait environ 18 mois, et Kamala, 7 ou 8 ans. On les disait sœurs.

Selon le journal intime du révérend Singh, les fillettes auraient eu un comportement semblable à celui des loups : elles auraient marché à quatre pattes, n'auraient émis que des grognements et auraient mangé par terre, en traînant leur nourriture hors de leur bol. Elles auraient aussi eu des caractéristiques propres aux loups : meilleurs odorat, ouïe et vision, particulièrement dans le noir.

Le révérend Singh aurait tenté de civiliser les enfants-louves. Il y serait en partie parvenu avec la plus vieille des sœurs, Kamala. Amala, par contre, serait morte un an après sa découverte, à cause d'une infection des reins. C'est après cet événement que Kamala aurait appris à marcher debout et à prononcer quelques mots. Elle serait morte en 1929 de la fièvre typhoïde.

QUE DES SUPERCHERIES

L'histoire des fillettes-louves indiennes a ému le monde entier. Tous l'ont apparemment crue sans se poser de questions, comme pour les autres cas d'enfants sauvages, jusqu'à ce qu'un chirurgien et auteur, Serge Aroles, sème le doute sur leur authenticité. De 1995 à 1999, celui-ci a enquêté en fouillant des archives, et notamment celles concernant Amala et Kamala.

Les conclusions d'Aroles sont formelles : l'histoire des fillettes-louves est une escroquerie. En effet, les documents montrent qu'Amala et Kamala ont été confiées à l'orphelinat, et non récupérées dans une tanière. Les photos d'elles agissant comme des loups sont fausses, comme le journal du révérend Singh. En vérité, celui-ci cherchait à se faire de l'argent avec cette histoire.

Dans son enquête, Aroles a découvert que Kamala aurait été atteinte du **syndrome de Rett**, une maladie qui provoque un arrêt du développement et des handicaps. Selon lui, la majorité des enfants sauvages seraient d'ailleurs des handicapés exploités par des individus malhonnêtes ou des enfants maltraités et battus. Il expose les preuves de ce qu'il avance dans son livre *L'énigme des enfants-loups*.

Difficile, dans ces circonstances, de continuer de croire à l'existence des enfants sauvages... sauf dans la fiction.

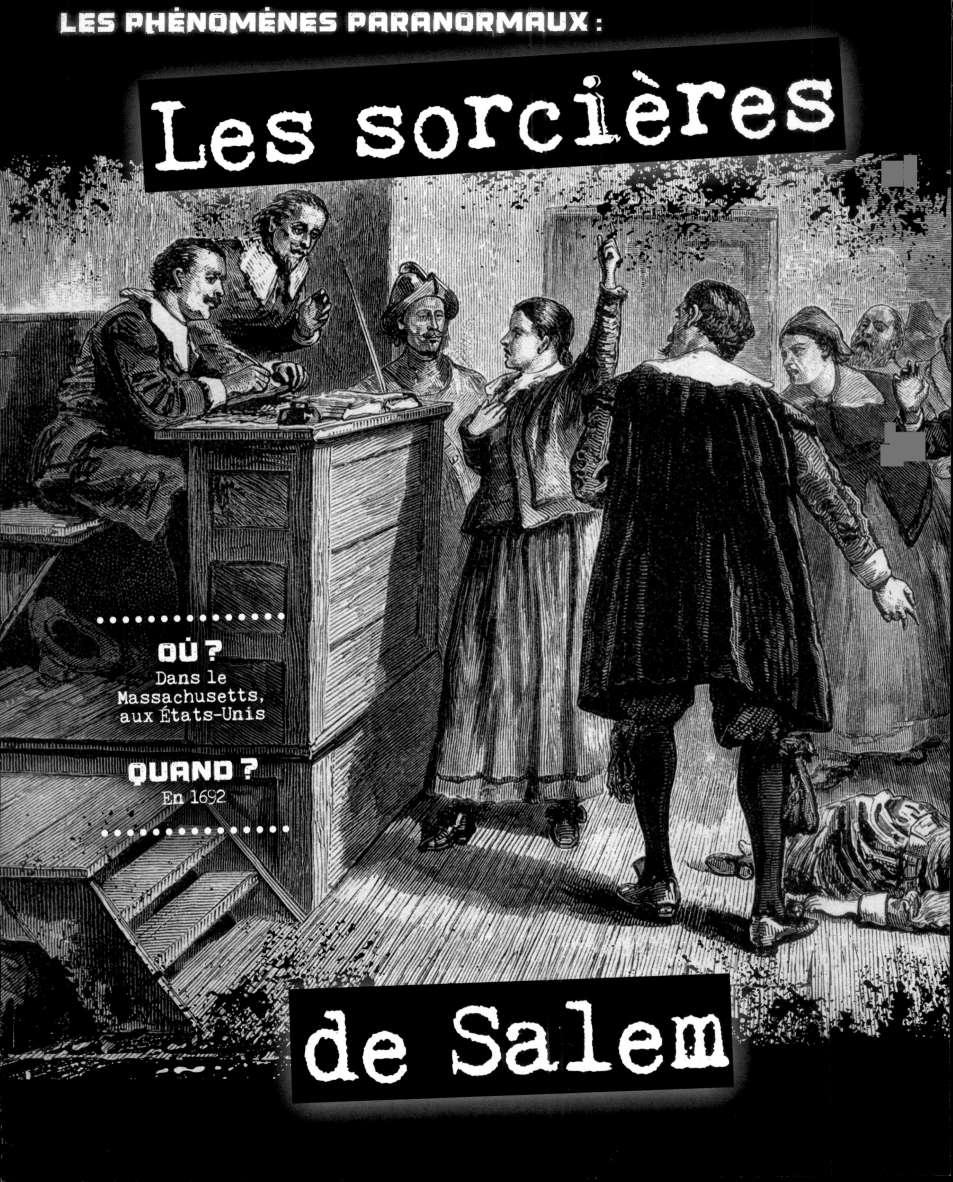

LES PHÉNOMÈNES PARANORMAUX :

Les sorcières

OÙ ?
Dans le Massachusetts, aux États-Unis

QUAND ?
En 1692

de Salem

CHASSE AUX SORCIÈRES

Très connue encore aujourd'hui, l'histoire des sorcières de Salem est sans contredit l'un des épisodes les plus sombres de l'**Amérique coloniale**. Au terme d'un procès tenu dans la ville de Salem, dans le Massachusetts, 19 personnes sont pendues après avoir été reconnues coupables de sorcellerie. Des dizaines d'autres sont emprisonnées pour le même motif. Que s'est-il passé pour en arriver là ?

Mais d'abord, qu'est-ce que la sorcellerie ? Il s'agit de la pratique de la magie, c'est-à-dire l'art de produire des phénomènes à l'aide de forces naturelles secrètes ou grâce à des forces surnaturelles. Dans certaines cultures, cette pratique a été vue positivement au cours de l'histoire. Elle l'est même encore dans certaines régions du monde, par exemple en Haïti, où elle prend le nom de « vaudou ».

Dans l'histoire de l'Europe, la sorcellerie a été tolérée par l'Église catholique jusqu'en 1326. Cette année-là, cette pratique a été interdite : quiconque était accusé de faire usage de magie pouvait être emprisonné et condamné à mort. C'est ainsi qu'est née la chasse aux sorcières, la recherche et la condamnation de personnes censées pratiquer la sorcellerie.

UNE COMMUNAUTÉ POSSÉDÉE

C'est une de ces chasses aux sorcières qui s'est déroulée dans le Massachusetts, en 1692. Cet hiver-là, la fille et la nièce du **révérend** Samuel Parris, Betty Parris et Abigail Williams, âgées de 9 et 11 ans, développent un comportement étrange : elles ont des crises de larmes hystériques, sont renfermées et grommellent dans une langue étrange. Leur « mal » s'étend bientôt à d'autres jeunes filles.

Les médecins qui les examinent ne parviennent pas à trouver de cause à leur état. L'un d'entre eux en conclut donc qu'elles ont été ensorcelées. Pressées de dire par qui, les jeunes filles se mettent alors à la dénonciation. La première personne qu'elles accusent est Tituba, l'esclave d'origine amérindienne du révérend Parris, dont la culture traditionnelle valorisait une forme de magie.

Par la suite, les dénonciations se multiplient, les prisons se remplissent. Un tribunal est organisé à Salem. Aucun accusé n'est **acquitté**. De mars à octobre, 19 personnes reconnues coupables de sorcellerie sont pendues. Un vieux fermier de 80 ans, Giles Corey, est torturé à mort. Des femmes emprisonnées meurent. Enfin, le 3 octobre, le gouverneur du Massachusetts met fin aux procès et les accusés restants sont relâchés.

UNE PARANOÏA COLLECTIVE ?

Les accusés et les condamnés de Salem étaient-ils réellement des sorciers ? Aujourd'hui, comme il est généralement admis que la magie n'existe pas, la réponse est évidemment non. D'ailleurs, en 1706, une des jeunes filles soi-disant ensorcelées, Ann Putnam, s'est excusée publiquement d'avoir accusé des innocents. Un juge des procès de Salem, Samuel Sewall, a également reconnu sa faute.

Pourquoi, alors, des innocents ont-ils été condamnés ? Plus de 300 ans plus tard, la chasse aux sorcières de Salem reste toujours une énigme du comportement humain. On peut toutefois avancer sans se tromper que la peur a été à la base de cette folie qui s'est emparée de toute la communauté. En effet, beaucoup ont accusé leurs concitoyens par crainte d'être accusés eux-mêmes.

L'historienne Mary Beth Norton fait aussi remarquer que tous les accusés avaient un lien avec les attaques amérindiennes, fréquentes à l'époque. Comme les Amérindiens étaient perçus comme le Diable, il était facile de croire que les gens en contact avec eux devenaient aussi diaboliques. La peur des Amérindiens conjuguée à des croyances superstitieuses pourraient avoir contribué à la **paranoïa**.

Les sœurs Fox

et le spiritisme

ESPRIT, ES-TU LÀ ?

Dans la nuit du 31 mars 1848, un phénomène insolite se produit dans la maison des Fox, réputée pour être hantée : des coups secs retentissent dans la chambre des sœurs cadettes de la famille, Kate et Margaret, âgées de 15 et 12 ans. Depuis quelque temps déjà, les adolescentes se disaient témoins de manifestations étranges. Un esprit tenterait-il d'entrer en communication avec elles ?

Alertés par leurs filles, M. et Mme Fox cherchent la source des coups, sans la trouver. S'agirait-il vraiment d'un esprit ? Pour s'en convaincre, Mme Fox entreprend de poser des questions à la « chose » : « Quel âge ont Kate et Margaret ? » — « 15 et 12 ans. » Correct. « Combien ai-je d'enfants ? » — « Sept. » Faux ! Mme Fox reformule pourtant : « Combien ai-je d'enfants *vivants* ? » — « Six. » Correct !

• • • • • • • • • • • • • • • • •

OÙ ?
À Hydesville,
aux États-Unis

QUAND ?
À partir du
31 mars 1848

• • • • • • • • • • • • • • • • •

Rapidement, la rumeur de la communication des Fox avec un esprit se répand dans la petite communauté de Hydesville. Chacun vient constater le phénomène par lui-même. Il apparaît alors que celui-ci se produit plutôt en présence de Kate et Margaret. Celles-ci disent déchiffrer les messages de l'esprit en associant une lettre de l'alphabet à un nombre de coups : 1 = A ; 2 = B ; 3 = C...

DE HYDESVILLE À SAINT-PÉTERSBOURG

Bien vite, les deux sœurs prétendent que l'esprit de la maison s'appelle Charles B. Rosma. Selon elles, il s'agit d'un colporteur assassiné dont le corps serait enterré dans la cave. Il se manifesterait aux vivants afin de recevoir une sépulture décente. Des fouilles sont aussitôt menées par M. Fox et ses voisins : des ossements humains sont effectivement trouvés sous la maison.

Pour bon nombre de gens, c'est la preuve ultime : Kate et Margaret communiquent réellement avec les esprits. Leur sœur aînée, Leah, âgée de 34 ans, voit les occasions d'affaires de ce supposé don et décide de l'exploiter. Elle organise des tournées où les adolescentes montrent leur savoir-faire, d'abord dans leur région, puis dans tous les États-Unis et enfin en Europe.

La renommée des deux sœurs est éclatante : Margaret est appelée à utiliser son don devant la reine d'Angleterre, et Kate, devant le tsar de Russie ! Six ans après les premières manifestations dans la petite maison de Hydesville, rien qu'aux États-Unis, trois millions de personnes se déclarent adeptes de spiritisme, c'est-à-dire la croyance selon laquelle il est possible de communiquer avec les esprits.

NAISSANCE DU SPIRITISME MODERNE

De tout temps et dans toutes les cultures, l'être humain a tenté d'entrer en relation avec un monde invisible, soit celui des morts, des anges ou des dieux. Les sœurs Fox sont néanmoins considérées comme les mères du spiritisme moderne. Cette croyance serait partagée par 6 à 50 millions de personnes dans le monde aujourd'hui. Le spiritisme existe-t-il pour autant ?

Il est permis d'en douter quand on sait que la carrière de médium des sœurs Fox était une vaste supercherie... En effet, à la mort de Leah, en 1888, Margaret a avoué que toute l'histoire était inventée : Kate et elle ne voulaient d'abord que s'amuser aux dépens de leur mère, puis des habitants de Hydesville. L'affaire a cependant pris une tournure différente sous l'impulsion de Leah.

Après cette révélation, les deux sœurs ont même fait une tournée dans laquelle elles dévoilaient leurs trucs : les coups étaient en fait produits par le craquement des jointures de leurs mains et de leurs pieds ! Ces aveux n'ont cependant pas été crus par la plupart des spirites. Ainsi, malgré elles, les sœurs Fox sont restées les mères du spiritisme moderne...

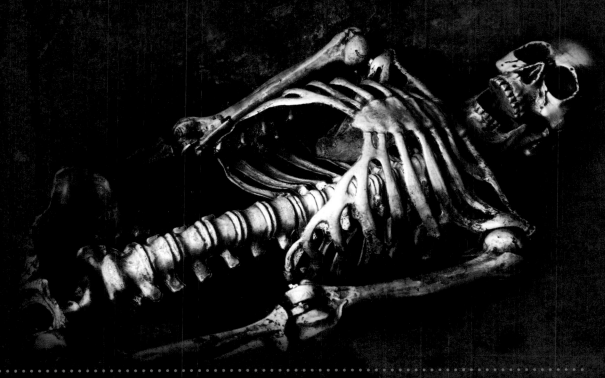

LES PHÉNOMÈNES PARANORMAUX :

Le rêve prémonitoire

de Mark Twain

UN RÊVE BOULEVERSANT...

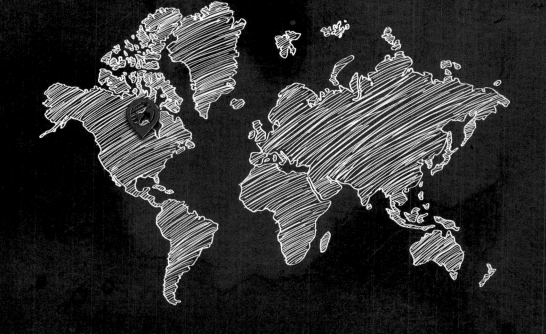

Avant de se consacrer à l'écriture, le célèbre écrivain américain **Mark Twain** a occupé de nombreux boulots. C'est pendant qu'il travaille sur le bateau à vapeur *Pennsylvania*, en 1858, qu'arrive l'un des événements les plus étranges de sa vie : une nuit de mai, il rêve que son jeune frère Henry est mort ; quelques semaines plus tard, le rêve devient réalité. Mark Twain a-t-il eu un vrai **rêve prémonitoire** ?

● ● ● ● ● ● ● ● ● ● ● ● ●

OÙ ?
À Saint-Louis,
aux États-Unis

QUAND ?
En mai 1858

● ● ● ● ● ● ● ● ● ● ● ●

Une nuit qu'il dort chez sa sœur, Mark Twain se réveille en sursaut, bouleversé par ce à quoi il vient de rêver : la veillée funèbre de son frère cadet, Henry, qui travaille avec lui sur le *Pennsylvania*. Dans le rêve, celui-ci repose dans un cercueil métallique placé sur deux chaises. Il porte l'un des costumes de Twain, et un bouquet de roses blanches avec une rouge au centre est déposé sur sa poitrine.

Fortement impressionné par ce qu'il a vu en rêve, le futur écrivain est persuadé que son frère est mort. Il tente pourtant de se raisonner en se disant qu'il ne s'agissait que d'un rêve. Il se précipite néanmoins dans le salon pour s'en assurer. Soulagé, il constate que la pièce est vide : Henry est toujours vivant. Twain raconte malgré tout sa funeste prémonition à sa sœur.

... DEVENU RÉALITÉ

En juin, Twain a une dispute avec le capitaine du *Pennsylvania* et est laissé à terre. Henry, lui, poursuit sa route sur le bateau. Malheureusement, une catastrophe survient quelques jours plus tard : le 13 juin, une des chaudières du *Pennsylvania* explose et celui-ci fait naufrage près de Memphis. Henry, grièvement blessé dans l'explosion, meurt le 21 juin.

Apprenant la nouvelle, Twain ne peut s'empêcher de penser à son rêve. Il appréhende ce qu'il va découvrir à la chapelle mortuaire de Memphis. Ce qu'il voit le stupéfait : Henry est étendu dans un cercueil métallique et porte

l'un de ses costumes. Au moment où Twain s'approche de lui, une dame dépose sur sa poitrine un bouquet de roses blanches avec une rouge au centre...

Jusqu'à la fin de sa vie, Mark Twain écrira des dizaines de fois l'histoire de son rêve prémonitoire sur la mort de son frère. L'épisode est notamment relaté dans son autobiographie. Comme il ne croit pas au surnaturel, il tente de trouver des causes scientifiques à l'événement. Dans les années 1880, il adhère même à une association destinée à étudier les phénomènes paranormaux.

COÏNCIDENCE OU DON RÉEL ?

Comme Mark Twain, de nombreux scientifiques se sont penchés sur le mystère des rêves prémonitoires, dont les exemples remontent à l'**Antiquité**. Jusqu'à maintenant, la plupart en nient l'existence, puisqu'ils n'y trouvent aucune explication rationnelle. Certains avancent ainsi que ces rêves ne sont que des coïncidences, qu'ils sont dus au hasard.

Des **psychanalystes** et **psychologues** ont cependant d'autres théories. L'une d'elles est que le cerveau recueille et enregistre à notre insu des centaines de détails tous les jours : sons à peine audibles, odeurs et images non frappantes,

non-dits, etc. Pendant notre sommeil, il trierait cette information et en tirerait des scénarios logiques qui pourraient se produire dans la « vraie » vie.

Cette théorie n'explique cependant pas comment il est possible de prévoir des détails aussi précis que ceux du rêve de Mark Twain. Notre cerveau posséderait-il des capacités encore non découvertes ? La recherche permettra peut-être un jour d'élucider l'énigme des rêves prémonitoires.

Les prédictions

de Jeane Dixon

UN ART MILLÉNAIRE

La volonté des humains de prédire l'avenir existe depuis l'aube des temps. Dans la Grèce antique, par exemple, les croyants consultaient des prêtres et prêtresses afin de recevoir des oracles, des réponses à leurs questions sur le futur. De plus, selon les croyances du judaïsme, du christianisme et de l'islam, chacun pourrait recevoir un message de Dieu sur le futur ; il s'agirait de prophéties.

À l'extérieur des religions, de simples individus ont aussi toujours été réputés pour être capables de prévoir le futur. Ces voyants, parfois appelés « devins », usent de divers outils pour réaliser leurs prédictions : boule de cristal, cartes, feuilles de thé, lignes de la main, communication avec les esprits, disposition des astres, etc. On recenserait à ce jour plus de cent **arts divinatoires** dans le monde.

L'histoire regorge de récits d'oracles, de prophètes ou de devins célèbres. Parmi eux, l'un des plus connus reste sans doute Michel de Nostredame (1503-1566), dit Nostradamus. Médecin et astrologue, il a publié des **almanachs** dans lesquels certains ont vu des prophéties réalisées. La première aurait été la prédiction de la mort d'Henri II, roi de France à l'époque de Nostradamus.

• • • • • • • • • • • • • • •

OÙ ?
Dans le monde entier

QUAND ?
De 1913 à 1997

• • • • • • • • • • • • • •

JEANE DIXON ET JOHN F. KENNEDY

L'une des plus célèbres voyantes de notre époque est l'Américaine Jeane Dixon (1904-1997), surtout connue pour avoir supposément prédit l'assassinat de **John F. Kennedy**. En 1956, Jeane Dixon a écrit ceci dans le magazine *Parade* : « L'élection de 1960 sera dominée par les syndicats et remportée par un démocrate. Il sera assassiné ou mourra en fonction, pas nécessairement durant son premier mandat. »

Non seulement le démocrate John F. Kennedy a été élu président en 1960, mais il a été assassiné le 23 novembre 1963, moins de

trois ans après son entrée en fonction... soit dans son premier mandat. Quelques semaines avant le drame, Jeane Dixon aurait ressenti énormément d'anxiété concernant la sécurité du président. Le matin du 23 novembre, elle aurait dit : « Cela arrivera aujourd'hui. »

VÉRITABLE DON OU CHANCE STATISTIQUE ?

Par la suite, la voyante, qui aurait découvert son don à neuf ans, a fait des dizaines d'autres prophéties... plus ou moins justes. Ces inexactitudes, entre autres, amènent les plus **sceptiques** à remettre son don en question. Les plus malins commencent d'ailleurs par montrer du doigt la faille de sa déclaration dans *Parade* : l'élection de 1960, en effet, n'a pas été dominée par les syndicats.

De plus, Jeane Dixon aurait en quelque sorte « annulé » sa prédiction sur Kennedy. En 1960, la voyante a effectivement assuré ceci :

« John F. Kennedy ne remportera pas la course à la présidence. » Plus tard, elle a même avoué avoir eu une vision de Richard Nixon gagnant les élections de 1960. Or, il s'agissait de l'opposant républicain de Kennedy dans la course à la présidence !

Malgré tout, la voyante comptait des millions de partisans. Inspiré par son cas, le mathématicien John Allen Paulos a inventé un terme pour décrire la croyance aux prophéties en dépit des contradictions : « l'effet Jeane Dixon », c'est-à-dire la tendance à ne retenir que quelques prédictions justes et à ignorer les nombreuses autres fausses.

Si les adeptes de la voyance restent convaincus des dons des devins, la science tend pourtant à donner raison aux sceptiques. Des tests ont en effet montré que le taux de réalisation des prédictions était le même chez les voyants que chez les autres individus. Réussir une prévision relèverait donc davantage des statistiques que des dons paranormaux...

Les apparitions

de Lourdes

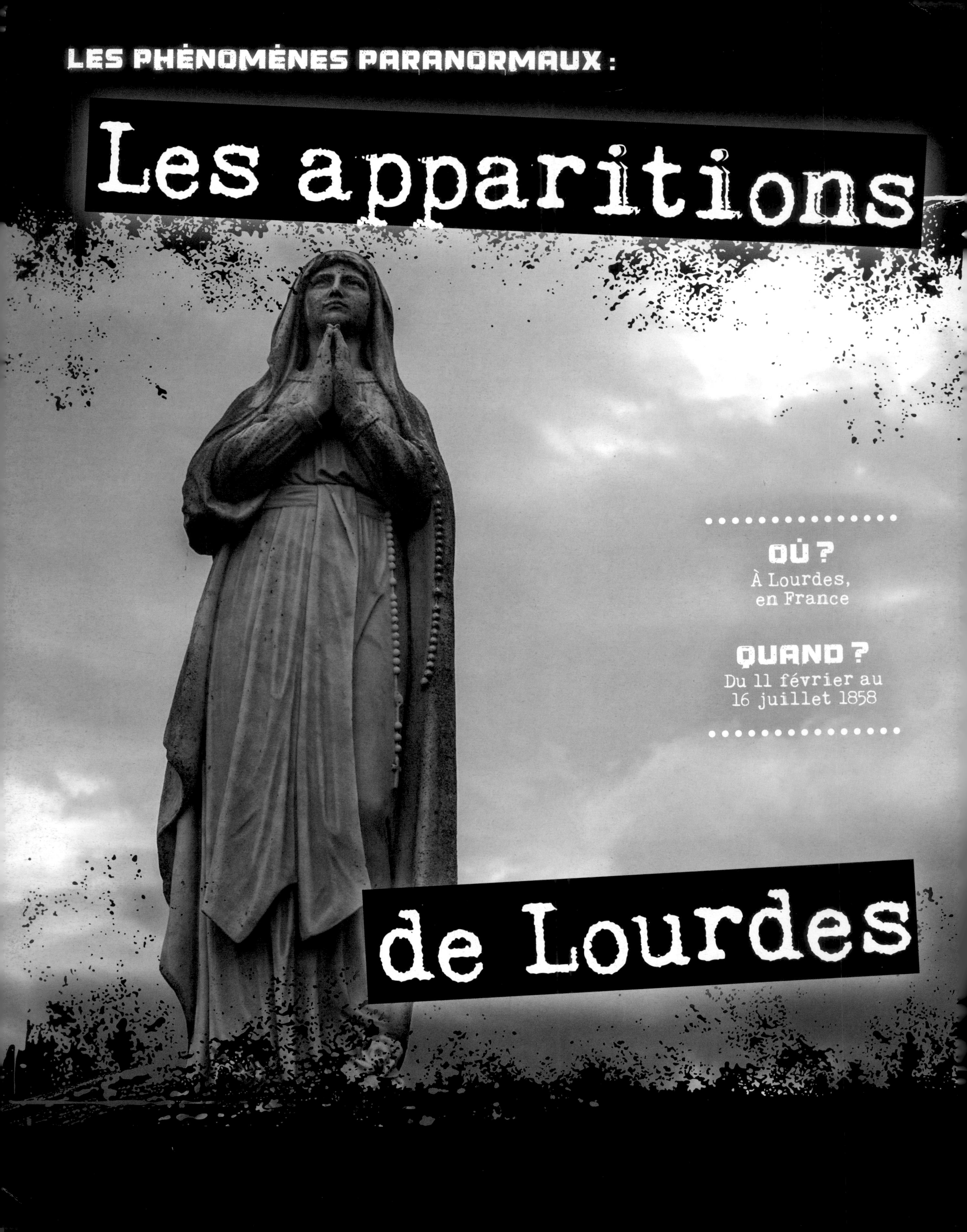

OÙ ?
À Lourdes,
en France

QUAND ?
Du 11 février au
16 juillet 1858

« ACQUERÓ »

Au 19e siècle, Lourdes est une petite ville de France comme les autres, peu connue. Son destin change cependant de façon drastique en 1858 en raison d'une suite d'événements religieux censés être surnaturels : les apparitions de la **Vierge Marie** à Bernadette Soubirous. Aujourd'hui, six millions de personnes s'y rendent en **pèlerinage** chaque année.

Tout a commencé le jeudi 11 février 1858. Ce jour-là, Bernadette Soubirous, 14 ans, se rend avec sa sœur et une amie au bord du gave de Pau, une rivière de Lourdes, pour ramasser du bois mort. Soudain, à la hauteur d'une grotte appelée Massabielle, elle est arrêtée par une sorte de coup de vent. Elle lève alors la tête vers la grotte et aperçoit une « lumière douce ».

Au centre de cette lumière se tient, selon Bernadette, « une dame vêtue de blanc : elle portait une robe blanche, un voile blanc également, une ceinture bleue et une rose jaune sur chaque pied ». Souriante, la dame lui fait signe d'approcher. Bernadette récite alors une prière, puis l'apparition disparaît. L'adolescente, ne sachant qui elle est, la surnomme « *acquerò* », « cela », en occitan.

APPARITIONS ET GUÉRISONS

Les jours suivants, les parents de Bernadette lui interdisent de retourner à la grotte de Massabielle. Elle insiste pourtant et, le dimanche 14 février, sa mère lui donne enfin son autorisation. Elle s'y rend donc avec une douzaine d'amies. De nouveau, « *acquerò* » apparaît à Bernadette, puis disparaît une fois sa prière récitée. La jeune fille, comme la première fois, est la seule à la voir.

Par la suite, jusqu'au 16 juillet, presque chaque fois que Bernadette va à la grotte, elle retrouve la dame, qui lui apparaît 18 fois en tout. L'histoire se répand. Des dizaines, puis des centaines et des milliers de personnes affluent à Massabielle dans l'espoir d'apercevoir « *acquerò* ». Le 25 mars, à sa seizième apparition, elle révèle son nom : « Je suis l'Immaculée Conception[1] ».

Pendant la période des apparitions à Bernadette, des guérisons commencent aussi à se réaliser dans la grotte. La première serait celle de Catherine Latapie, qui a la main et le bras droits partiellement paralysés. Le 1er mars, elle les trempe dans la source de Massabielle, puis se dit guérie. L'eau de la grotte acquiert alors la réputation d'être miraculeuse.

DES APPARITIONS RÉELLES ?

Dès la première apparition, Bernadette a été accusée d'avoir inventé « *acquerò* ». Est-ce le cas ? Si on se fie à ses témoignages, la jeune fille croyait fermement que la Vierge Marie lui était apparue. La suite de sa vie laisse d'ailleurs penser que son intention n'a jamais été d'attirer l'attention sur elle ou de faire de l'argent avec cette histoire.

Quant à l'Église catholique, après quatre ans d'enquête, elle reconnaît les apparitions de Lourdes comme vraies[2]. Bernadette est même élevée au rang de sainte en 1933. Quant aux guérisons miraculeuses, jusqu'à aujourd'hui, 67 sont attribuées par l'Église au caractère sacré de la grotte de Massabielle. Ces manifestations surnaturelles sont-elles réelles pour autant ?

Pour les **sceptiques**, la réponse est évidemment non. Certains les expliquent par des hallucinations ou des illusions d'optique associées à la foi : la volonté de croire ferait *effectivement* voir. Quant aux guérisons miraculeuses, des chercheurs avancent qu'elles ne sont pas plus nombreuses à Lourdes que dans les hôpitaux… En somme, il s'agirait avant tout d'une question de croyances.

---

2. *Dans l'histoire du catholicisme, seules 16 apparitions de la Vierge Marie ont été reconnues par l'Église.*

1. *Voir **Vierge Marie**.*

GLOSSAIRE

Abbé : dans la religion catholique, « abbé » est un nom régulièrement donné aux prêtres.

Acquitté : dans un procès, un accusé est déclaré acquitté quand il est jugé non coupable du crime reproché.

Âge du bronze : l'âge du bronze (environ 2100 à 700 avant Jésus-Christ, en Angleterre) est la période de l'histoire correspondant au début de l'utilisation de métaux comme le cuivre et l'étain.

Air Force : force aérienne de l'armée américaine. Elle a pour mission de défendre les États-Unis dans les airs, dans l'espace et dans le cyberespace.

Almanach : livres dans lesquels se trouvent un calendrier, des prévisions météorologiques et des conseils de vie. Selon leur auteur, il contient aussi parfois des prédictions.

Amérique coloniale : avant de compter des pays indépendants, l'Amérique était formée de colonies, c'est-à-dire de territoires dépendant du pays qui les avait peuplés. Par exemple, en 1692, le Massachusetts était un territoire du Royaume-Uni.

***An Niseag* :** nom donné à Nessie en gaélique.

Ancien Empire égyptien : (environ 2700 à 2200 avant Jésus-Christ) période reconnue comme l'âge d'or de la civilisation égyptienne antique. Il a notamment vu l'apparition des pyramides et l'apogée de leur grandeur.

Antiquité : première période de l'histoire, qui commence avec l'apparition de l'écriture. Elle succède ainsi à la préhistoire. En Occident, les historiens la font débuter vers 3500 avant Jésus-Christ et se terminer vers 400.

Archéologue : un archéologue pratique l'archéologie, une science qui étudie les choses anciennes, et particulièrement l'art et les monuments antiques.

Archevêque : **évêque** de qui dépendent les autres **évêques** d'un territoire.

Art divinatoire : terme utilisé pour parler des techniques servant à prédire l'avenir.

Baie de San Francisco : ouverture sur l'océan Pacifique dans la côte ouest des États-Unis, en Californie.

Ballon-sonde : sorte de montgolfière non habitée envoyée dans les airs pour prendre des mesures à l'aide d'instruments comme le radar. Les ballons-sondes sont par exemple utilisés pour recueillir des données sur la météo.

Bastille : forteresse française construite au 14e siècle. Devenue prison d'État au 17e siècle, elle est prise par les révolutionnaires français en 1789, puis démolie.

Bipède : êtres qui marchent sur deux pieds.

Boeing 777 : avion servant au transport des passagers fabriqué par la compagnie américaine Boeing. C'est le plus gros avion de deux moteurs à réaction du monde.

Brick-goélette : type de voilier à deux mâts dont l'un porte une voile à quatre côtés non symétriques.

Char : dans l'**Antiquité** égyptienne, un char est un chariot à deux roues le plus souvent tiré par des chevaux. Il était utilisé dans les combats, dans les courses ou pour la chasse.

Christophe Colomb : (1451-1506) navigateur et explorateur italien. Il est reconnu comme le premier homme à avoir traversé l'océan Atlantique et le découvreur de l'Amérique.

Chronomètre : outil de navigation.

Civilisation minoenne : une des civilisations les plus avancées du monde antique, d'environ 2700 à 1200 avant Jésus-Christ. Elle s'est développée sur les îles de Santorin et de Crète, dans la mer Méditerranée.

Civilisation nazca : civilisation, fort probablement à l'origine des géoglyphes, elle aurait occupé la plaine de Nazca d'environ 200 avant Jésus-Christ à 600. Elle y aurait pratiqué l'agriculture après avoir développé des systèmes sophistiqués de transport de l'eau. On ignore les causes précises de sa disparition, mais elle pourrait être due à une sécheresse prolongée, puis à une assimilation par le puissant peuple Huari.

Colporteur : commerçant qui passe de porte en porte pour vendre ses produits.

Comté de Marin : territoire de la Californie. Il est situé au nord de la **baie de San Francisco**.

Confesseur : prêtre à qui les catholiques avouent leurs péchés, c'est-à-dire des pensées qu'ils ont eues ou des actions qu'ils ont faites, mais qui sont condamnées par leur religion.

Conquistador : aventurier espagnol parti à la conquête de l'Amérique, au 16e siècle.

Conspirationniste : personne qui croit à la théorie du complot. Selon celle-ci, les gouvernements cacheraient des informations au public dans le but de maintenir un pouvoir absolu sur lui.

Croisades : au **Moyen Âge**, expéditions armées menées par les catholiques pour reconquérir les lieux saints du **Proche-Orient**, occupés par les musulmans.

Détroit de Gibraltar : bras de mer qui sépare l'Espagne (Europe) du Maroc (Afrique).

Droit de régner : selon les règles de la monarchie française, à la mort d'un roi, la couronne revenait au premier-né de ses fils.

Empire britannique : ensemble des pays ou territoires, appelés « colonies », sous la domination du Royaume-Uni, de 1497 à 1997.

Époque victorienne : partie de l'histoire de la Grande-Bretagne. Elle correspond au règne de la reine Victoria (1837-1901) et a vu l'apogée de la révolution industrielle, qui a amené beaucoup de gens pauvres à s'installer en ville dans l'espoir de trouver du travail. À Londres, cette situation a créé des quartiers défavorisés et criminalisés comme Whitechapel.

Évêque : prêtre important nommé par le **pape.**

Flatulences océaniques : bulles de gaz gigantesques qui remontent des fonds sous-marins.

Gazette : nom autrefois donné à des écrits rapportant des nouvelles, par exemple des journaux et des revues.

Gizeh : ville d'Égypte située sur la rive gauche du Nil, près du Caire, la capitale du pays.

Humanoïde : on donne le qualificatif « humanoïde » aux choses dont l'aspect rappelle celui de l'humain.

Himalaya : chaîne de montagnes du sud de l'Asie qui couvre 600 000 kilomètres carrés. On y retrouve entre autres le plus haut sommet du monde, l'Everest.

HMS : signifie *Her Majesty's Ship* ou *His Majesty's Ship* (en français, « Navire de Sa Majesté »), selon le sexe du monarque.

John F. Kennedy : (1917-1963) 35e président des États-Unis et le plus jeune président élu de leur histoire.

Jury : dans un procès, un jury est l'ensemble de personnes, les « jurés », chargé de prononcer un verdict quant au crime commis.

***Land art* :** le *land art*, parfois aussi appelé « art *in situ* », est une forme d'art contemporain qui utilise la nature et ses éléments comme matériaux. Étant donné que ses œuvres sont le plus fréquemment à l'extérieur, elles sont souvent éphémères.

***Loch* :** « Loch » est un mot provenant du gaélique, la langue historique de l'Écosse. Il désigne une étendue d'eau à l'intérieur des terres, comme un lac, une baie ou un fjord.

Loup : masque de velours ou de satin noir couvrant une partie du visage.

Maçonnerie : construction ou partie de construction faite à partir d'un mélange de matériaux joints ensemble.

Mark Twain : (1835-1910), de son vrai nom Samuel Langhorne Clemens, notamment l'auteur des *Aventures de Tom Sawyer* (1876) et des *Aventures de Huckleberry Finn* (1885), les deux romans qui l'ont fait connaître.

Masque funéraire : type de masque retrouvé dans les tombes. Dans les tombeaux égyptiens antiques, il était placé sur la tête des momies.

Maures : habitants de l'ancienne Mauretania, une région du nord de l'Afrique. Au **Moyen Âge**, on les assimilait aux envahisseurs musulmans de l'Espagne catholique.

Médium : personne qui sert d'intermédiaire entre les esprits et les humains.

Mémorial : monument dont la fonction est de rappeler un événement ou une personne décédée.

Meurtre prémédité : on dit d'un meurtre qu'il est prémédité quand le meurtrier a préparé son geste.

Mobile : dans le cas d'un meurtrier, est la raison qui le pousse à commettre son crime.

Moines : religieux qui vivent à l'écart du monde, le plus souvent dans des communautés. Ils suivent les règles d'un **ordre.**

Monolithe : bloc de pierre naturel ou sculpté et possiblement déplacé par l'humain.

Moyen Âge : le Moyen Âge suit l'**Antiquité** dans l'histoire occidentale. Il s'étendrait d'environ 400 à 1400.

Mythologie : ensemble des mythes, fables, légendes et histoires fabuleuses d'un peuple, d'une civilisation ou d'une religion.

NASA : acronyme de « *National Aeronautics and Space Administration* » (en français, « Administration nationale de l'aéronautique et de l'espace »). C'est l'agence responsable de l'exploration de l'espace aux États-Unis.

Némès : couvre-chef que portaient les souverains de l'Égypte antique, les **pharaons**.

Néolithique : (environ 7000 à 2500 avant Jésus-Christ, en Europe) période où les humains ont progressivement délaissé la chasse et la cueillette pour l'agriculture et l'élevage.

Occitan : langue autrefois couramment parlée dans le sud de la France.

Œdipe : dans le mythe d'Œdipe, celui-ci débarrasse la ville de Thèbes d'un sphinx malveillant en fournissant une réponse à son énigme : « Quel est l'être qui marche d'abord sur quatre pattes, puis sur deux, puis sur trois ? »

Ordre : association dans laquelle les **moines** entrent en prononçant des vœux.

Pape : chef de l'Église catholique.

Paranoïa : état d'une personne ou d'un groupe qui éprouve de la méfiance exagérée à l'égard d'une menace réelle ou imaginaire.

Pascuan : nom donné aux habitants de l'île de Pâques. On les appelle aussi les « Rapanuis ».

Pèlerinage : voyage fait dans le but de se rendre dans un lieu considéré comme sacré.

Pharaon : souverains d'Égypte durant l'**Antiquité**.

Philosophe : penseur qui développe des réflexions sur la vie et le monde pour en comprendre le sens, et qui partage sa sagesse.

Place Bonaventure : immeuble de 12 étages du centre-ville de Montréal dont la construction a duré de 1964 à 1967. Elle sert à la fois d'immeuble de bureaux, de centre d'exposition et de complexe hôtelier.

Plantation : sorte de ferme où on cultive des produits tropicaux comme le café, le coton ou le tabac.

Plésiosaure : sorte de reptile marin qui a vécu il y a environ 230 millions à 65 millions d'années.

Polynésie : région du sud-est de l'océan Pacifique qui regroupe de nombreuses îles.

Proche-Orient : région située entre l'Europe, l'Afrique et l'Asie.

Psychanalyste et psychologue : les psychanalystes et certains psychologues traitent leurs patients selon le concept de l'inconscient, qui prétend que l'être humain est inconscient d'une partie de ce qu'il est.

Ranch : nom donné aux fermes dans le sud des États-Unis.

***Reconquista* :** nom donné à la reconquête de l'Espagne, tombée aux mains des **Maures**.

Rêve prémonitoire : dans un rêve prémonitoire, le rêveur voit une situation qui finit par se produire dans la réalité, comme s'il prédisait l'avenir.

Révérend : nom donné aux pasteurs dans la religion anglicane, une branche du christianisme.

Sarcophage : cercueil de pierre utilisé entre autres dans l'**Antiquité** égyptienne (environ 3500 à 30 avant Jésus-Christ).

Scalp : morceau de peau de crâne recouverte de cheveux.

Sceptique : individu qui doute de ce qui n'est pas prouvé de façon évidente ou scientifique, comme des phénomènes paranormaux, de l'existence des extraterrestres ou des religions.

Sept merveilles du monde : les sept plus extraordinaires monuments de l'**Antiquité**. Hormis la pyramide de Khéops, il s'agit du phare d'Alexandrie, des jardins suspendus de Babylone, du temple de Diane à Éphèse, du tombeau de Mausole, du Zeus olympien de Phidias et du colosse de Rhodes.

Sépulture : lieu d'enterrement suivant des rituels et cérémonies.

Sextant : outil de navigation.

Sonar : appareil utilisant les ondes dans l'eau pour y détecter des objets.

Superstition : croyances en des éléments magiques ou religieux contraires à la raison, au bon sens.

Syndrome de Rett : maladie génétique qui touche les fillettes. Parmi les handicaps qu'elle crée, on retrouve la difficulté à marcher et à parler.

Transpondeur : équipement qui permet aux avions d'être repérés dans les airs par des radars. Il indique leur position aux contrôleurs au sol et aux autres avions en vol.

Trombes marines : sortes de tornades se formant au-dessus de la mer.

Tsar : à une certaine époque, en Russie, en Bulgarie et en Serbie, on appelait « tsar » le souverain de ces pays.

Ufologue : individu qui étudie les objets volants non identifiés, les ovnis. Le mot est formé à partir de l'acronyme anglais d'« ovni », « *UFO* » (« *Unidentified Flying Object* »).

Vagues scélérates : vagues océaniques très hautes survenant soudainement.

Vaisseau fantôme : soit des navires de légende pilotés par des squelettes et des fantômes, soit des apparitions fantomatiques de navires disparus. L'expression est aussi utilisée pour les navires retrouvés en mer dont l'équipage est mort ou introuvable.

Vierge Marie : dans le catholicisme, la Vierge Marie est la mère de Jésus-Christ. Elle aurait vécu il y a plus de 2 000 ans. On l'appelle parfois l'« Immaculée Conception ».

Vortex spatiotemporel : serait un endroit qui permettrait de voyager dans le temps ou dans des univers parallèles. Son existence physique n'a cependant jamais été prouvée.